PRIDD

Llŷr Titus

bwthyn
GWASG Y BWTHYN

ISBN 978-1-913996-52-9
©Llŷr Titus, 2022 ℍ
©Gwasg y Bwthyn, 2022 ℍ
Mae Llŷr Titus wedi datgan ei hawl dan
Ddeddf Hawlfreintiau, Dyluniadau a
Phatentau 1988 i gael ei gydnabod fel
awdur y llyfr hwn.

Cyhoeddwyd gyda chymorth ariannol
Cyngor Llyfrau Cymru.

Clawr: Olwen Fowler

Cyhoeddwyd gan:
Gwasg y Bwthyn, 36 Y Maes, Caernarfon,
Gwynedd LL55 2NN
post@gwasgybwthyn.cymru
www.gwasgybwthyn.cymru
01558 821275

Cyflwynir y gyfrol hon er cof am
  Anti Gwen, Nain Cae Du, ac Evan.

Gyda diolch i
  Alun Jones, Angharad Price, Gareth, Jenny,
  Mam a Nhad, Y Stampwyr a chriw Harvard.
  Diolch hefyd i Dylan, Marred, Meinir ac Olwen
  am eu gwaith.

S...

S...

S...
Siaradwn.

Siaradwn.

Siaradwn.

Saf...

Saf...

Safasom...

Safasom...

Safasom yma ers canrifoedd a chyn hynny ers milenia er pan rwygwyd ni o groth y ddaear ddu. Fe'n glanhawyd, fe'n siapiwyd, fe'n gosodwyd. Tyllwyd tyllau i'n crombil, llygaid i weled a thystio. Trodd y byd a throasom ninnau gydag ef. Beddrodau, meini hirion, cilbyst, lintelydd. Cerrig ateb. Cerrig gwrando, yn dal lleisiau a'u cadw. Magu synnwyr megis magu cen. Ers dyfodiad y plant cyntaf hynny o'u cychod pren yn eu crwyn, cadwasom gof o dan y sêr diderfyn. Cadwn ef o hyd. Er llithro yn nes at dduwch y pethau anghofiedig ni lyncir Ni eto. Yr enwau hynny ddarfu o wefusau'r byd yw ein cân, y rhai y dechreuasant blicio oddi ar gerrig mewn mynwentydd, y rhai a aeth heb fod mynwent yn bod a'r sawl sydd eto'n fyw ond heb gof amdanynt.

Ceir rhai mannau lle safwn byth, ble mae'r terfynau'n nes at ei gilydd a chloddiau heb eu dymchwel. Llefydd sy'n ddigon distaw fel y gallwn glywed.

Atebir. Gwrandewir. Adroddir.

Haf.

Tic

Tic

Tic

Mae'r Hen Ŵr yn deffro. Bu'n ymwybodol am ddwy awr a thri munud a deugain. Bu'n gorwedd rhwng cwsg ac effro lle mae conglau hegar bywyd yn llifo'n feddal braf am ddwy awr. Yna bu'n syllu ar y to, neu'r pared, am bedwar deg munud yn gwrando ar y cloc yn tician – tician cras cloc weindio – ac yn edrych ar y tywyllwch yn meddalu rhyw fymryn, yn gwanio, fel petai bygythiad y wawr tu ôl i'r Mynydd yn llefrith yn sleifio i de.

Dim ond pan mae'r cloc yn rhincian y larwm mae o'n symud. Dim ond wrth i'r twrw conglog hwnnw ddarnio'i glustiau o. Yna, wedi estyn a tharo'r metal oer ac aberthu cynhesrwydd ei law am dawelwch y mae o'n codi.

Codi yn llawer rhy gynnar ond mae'r cloc yn rhoi esgus a chwsg yn chwarae mig. Waeth iddo wneud rhywbeth ddim.

Mae'r ystafell yn oer. Yn ddigon oer i'w ddeffro fo'n iawn a gwneud iddo fo geisio dengid yn ddyfnach iddo fo'i hun.

Bellach mae o a'r domen flancedi ar y gwely yn colli eu gwres i'r gwyll.

Gwisga'r Hen Ŵr amdano yn y tywyllwch. Does dim angen golau i gofio, cofio lle gosododd o'r dillad wedi'u plygu y noson cynt. Lle maen nhw wedi cael eu gosod ers pedwar ugain mlynedd a mwy gan fam, a gwraig ac yna gan ddwylo sydd heb arfer.

Wrth wisgo'n ara deg mae o'n tuchan ond dim ond y waliau sy'n clywed a tydi'r rheiny ddim am wrando. Does gan gerrig a gafodd eu dwyn o'u cartra i wneud tŷ i rywun arall fawr o gydymdeimlad hefo neb. Fwy na sydd gan blastar tamp. Tydi plastar ddim yn meddwl, yr unig beth mae o'n wneud ydi duo wrth iddo fo sugno mwy o ddŵr o aer y stafell wely. Duo fel gwaed yn casglu mewn clais.

Mae'n rhoi ei esgidiau am ei draed gan feddwl y byddai helynt am hynny pe byddai Rhywun yn fyw. Wrth gwrs pe bydden nhw'n codi o'r bedd yna efallai y byddai'r sioc a'r rhyddhad o wneud hynny yn golygu na fydden nhw'n hidio fawr ddim am wisgo esgidiau yn y tŷ. Ond wrth feddwl ychydig eto mae o'n gwybod na fyddai hynny'n wir. Bod yn fyw ydi poeni am bethau o'r fath.

Dim ond wrth fynd am y grisiau gyda'i law yn erbyn

y wal mae'r Hen Ŵr yn estyn am olau. Mae'r pasej yn ymddangos o'i flaen o yn union fel yr oedd o ddoe. Roedd o fel y buodd o ers blynyddoedd y diwrnod hwnnw gyda'r waliau paent sgleiniog yn felyn wrth i'r bylb ddod ato'i hun. Er bod bylbiau o'r fath, bylbiau arbed golau, yn bethau sâl ym marn yr Hen Ŵr mae o'n ddiolchgar fod hwn yn cynnig ei olau yn ara deg, fesul eiliad yn lle chwalu'i lewyrch i bob man a'i ddallu. Byddai gweld y byd yn ymddangos mor sydyn yn siŵr o'i ddychryn. Ond fel hyn mae o'n gallu sylwi ar bethau yn ffurfio yn ara deg – y ffenest, y cwpwrdd eirio a chanllaw y grisiau.

Feiddith o ddim mynd lawr heb olau. Mae ei draed o'n cofio'r grisiau ond fe all y rheiny gael pwl dryslyd. Mewn tywyllwch mae pobol yn baglu a hawdd rhoi cam gwag er mai'r un camau ydyn nhw wedi bod erioed ar yr un pren. Coedyn ydi'r grisiau, does yna ddim carped. Mae pobol yn baglu ar fatiau, mae'u conglau nhw'n gafael am draed ac yn eu llusgo nhw i lawr. Pam hola'r Hen Ŵr wrth gychwyn am y gegin. Am eu bod nhw eisiau cwmpeini, debyg iawn.

Fe aeth ffrind – neu yn sicr rhywun roedd o'n siarad hefo fo ar y ffôn bob hyn a hyn – ar ei hyd wrth gario'i swper am fod mat wedi gafael ynddo fo. Yn ddigon ysgafn, yn gyfeillgar bron y bu iddo afael ond roedd hynny ac inertia'n ddigon i daflu'r blât, y gyllell a fforc, yr wy, y tost a'r sawl oedd yn eu cario nhw ar lawr teils y gegin gefn. Mae'n rhaid – meddyliodd yr Hen Ŵr wrth gamu ar ris wrth gadw un llaw ar y canllaw a'r llall ar y wal – bod y blât wedi gwneud twrw uwch na'r un oedd yn ei chario hi wrth falu ar y teils. Rhaid fod yr wy a'r tost wedi oeri'n llawer cynt hefyd.

Mi fuodd y dyn a faglodd ar lawr am ddau ddiwrnod cyn i rywun ddod ar ei draws o. Ffoniodd yr Hen Ŵr ac mae'n rhaid y clywyd y ffôn a'i sŵn o'n bownsio o'r bwrdd bach wrth y drws cefn. Efallai fod y sawl oedd ar lawr ac oerni'r teils yn cynrhoni'i ffordd iddo fo – i'w gnawd o, wedi gweiddi help ar y gloch er ei fod o'n gwybod na fedr ffôn wneud dim i helpu neb. Dim ond y bobl sy'n ei ddefnyddio fo fedar wneud hynny.

Meddyliodd yr Hen Ŵr fod y dyn yr oedd o wedi'i ffonio yn brysur, ei fod o i ffwrdd er na soniodd o ddim, yn cysgu neu efallai ddim am ateb y ffôn. Efallai nad oedd o am siarad. Efallai nad oedd o am siarad gyda'r Hen Ŵr yn benodol. Felly wnaeth yr Hen Ŵr ddim ffonio ymhellach ymlaen yn ystod y dydd na cheisio cysylltu gyda neb arall. Fe ddylai o fod wedi gwneud ond wnaeth o ddim. Byddai'n atgoffa'i hun o hynny'n aml.

Dau ddiwrnod o orwedd yn gwrando ar y teledu yn gwybod fod y rhaglen yr oedd o wedi trefnu'i bryd mor ofalus i'w gwylio wedi hen orffen. Dau ddiwrnod ar lawr mewn tŷ gwag gyda lleisiau pobol wedi hen farw ar y teledu yn ceisio'i dwyllo fo. Dau ddiwrnod ar ei ben ei hun. Yna'r drws yn agor gyda goriad sbâr cymydog. Y mat wedi laru ar ei gwmpeini o. Y melynwy wedi sychu ar y teils yn edrych fel cen ar frigau coed. A'r ffôn yn cael ei ddefnyddio.

Ond tydi hi ddim yn talu i sefyllian gormod ar bethau o'r fath meddylia'r Hen Ŵr wrth roi ei draed ar lawr cerrig y stafell sydd ddim wirioneddol yn stafell ond yn hytrach lle mae tri drws i stafelloedd go iawn a'r tu allan wedi eu gosod wrth droed y grisiau. Mae'n cynnau'r golau yn y stafell drwy'r drws ar y chwith lle y bydd o'n gwneud tân cyn diffod un pen y grisiau.

Penlinia wrth ddrws y stôf a thro'r dodrefn – y cloc mawr, y cadeiriau esmwyth anesmwyth, y bwrdd, y biano a'r soffa ydi hi i beidio â hidio llawer. Er bod gan ddodrefn berthynas agos iawn â phobl tydyn hwythau fawr cleniach na'r cerrig. Buan iawn y gwnaiff bwrdd neu gadair gynnig congl hegar wrth i rywun fynd heibio ac fe all cadair esmwyth fod yn rhy esmwyth o lawer ar brydiau, yn hegar bryd arall.

Mae'n gwagio'r ddrôr ludw i bapur newydd wythnos dwythaf ac yn ei lapio, yna'n estyn am y bocs matsiys gydag un llaw tra bod y llall ar y canllaw sychu dillad o flaen y stôf. Yr un ydi'r bocs ond tydi'r matsiys ddim yr un peth er bod y cwmni'n cogio eu bod nhw. Fyddai o byth yn llosgi wrth ddefnyddio'r hen rai. Ar ei benagliniau o hyd mae o'n gwthio'r fatsien wedi'i thanio i'r nyth o bapur a brigau ac yn chwythu ar y fflamau am ei bod hi'n ddiwrnod llonydd tu allan. Mae o'n cynnig ei anadl ei hun i'r tân er mwyn i hwnnw gael byw.

Pe byddai rhywun yn edrych drwy'r ffenest i fewn – chaiff y llenni fyth eu cau, fe'u ffosileiddiwyd yn eu lle dros bymtheg mlynedd yn ôl – fe fydden nhw'n meddwl fod yr Hen Ŵr yn gweddïo yng ngenau uffern.

Mae yna rywbeth yn sanctaidd am dân ym meddwl yr Hen Ŵr. Meddylia: hwn sydd wedi'n cadw ni'n fyw, wedi coginio'n bwyd ni, yn dod â phethau braf fel gwres i'n bywyd ni. Tân sydd wedi dod â phobl at ei gilydd, fe fyddai yna lai o hanesion yn y byd heb dân, llai o chwedlau. Pam felly, mae'r Hen Ŵr yn meddwl, mai yn uffern mae'r tân? Tân sydd wedi'n cadw ni yma, wedi'n gyrru ni mlaen. Mae'r Hen Ŵr yn sylwi fod y ddadl honno'n un sydd hefyd yn ateb y cwestiwn.

Dyro'r Hen Ŵr ei law ar y baryn sydd o flaen y stôf unwaith eto wedi i'r tân orffen clecian a chodi ei hun ar ei draed. Ei benagliniau, nid ei dân sy'n clecian wrth iddo wneud hynny. Aiff drwy'r gegin sy'n oerach na gweddill y tŷ ac estyn ei gôt oddi ar y bachyn ar gefn y drws. Fydd y gôt ddim yn cynhesu llawer arno fo a gan ei bod hi wedi hel oerni'r gegin iddi yn ystod y nos mae hi'n teimlo'n wlyb gan ddiffyg c'nesrwydd wrth iddo'i thynnu hi amdano.

Aiff drwy'r drws sy'n gwichian bora da ac am y sgubor, yna gafael yn y dortsh sydd wrth y drws stabal.

Golau melyn sydd gan honno hefyd. Golau cwrtais sy'n ofalus o'r tywyllwch. Wnaeth hi ddim gwneud fawr mwy na gwlitho rhyw fymryn neithiwr, digon i roi sglein ar y gwellt ac felly tydi'r Hen Ŵr ddim yn poeni. Mi fydd yn sych dan draed. Mae hi wedi hen wawrio bellach beth bynnag ond fod y tywyllwch wedi lluwchio o hyd y tu ôl i'r Mynydd. Mae'r môr i'w weld yn magu croen o olau dyfrllyd o'r giât a hwnnw'n llonydd i gyd, heb ddeffro mae'n rhaid. Ond na, tydi'r môr byth yn cysgu, dim ond cysgu llwynog i dwyllo cychod a phobol sy'n nofio.

Mae'r cwt ieir wedi cael llonydd neithiwr, mae o wedi cael llonydd ers cyn i'r ieir hyn sy'n stwyrian wrth feddwl am eu bwyd ynghanol oglau eu cachu'u hunain ddod yma. Ond os ydi hi wedi bod yn ddeng niwrnod neu ddeng mlynedd ers y golled ddwythaf mae rhywun yn dal i feddwl amdani bob machlud a thoriad gwawr. Mae'n rhaid cofio. Mae o yn cofio amdanoch chi ac yn cofio ble mae'r cwt a dim ond un waith mae'n rhaid anghofio. Wnaiff llwynog fyth.

Meddylia'r Hen Ŵr iddo weld cysgod wrth y clawdd pella, clawdd Cae Crwn wrth gerdded heibio'r giât. Cysgod nad oedd yn fwy na fflach yn y tarth a theimlad fod rhywun wedi cael cip arno. Y golau efallai, neu aderyn, neu rywbeth arall a fyddai, o'i osod fel esboniad, yn llwyddo i dawelu ei feddwl.

Daw'r gath o grombil y tŷ gwair a tharo, fel petai'n ddamweiniol, ar hyd cefn ei drywsus gan adael blewiach a mymryn o wres. Mae hi ar ei chleniaf yn gynnar fel hyn a'r soser yn nrws y sgubor yn wag. Dylai'i bwydo'i hun hefo llygod meddylia'r Hen Ŵr fel y gwna bob tro y bydd hi'n ffalsio, ond mae'n morol tincial y bwyd sych ar y patrwm glas bob dydd cyn y bydd yn bwydo'i hun. Yna'n aros yno i wrando arni'n claddu'r wledd ac yn mentro rhedeg ei fysedd drwy'r blew meddal bob hyn a hyn. Ac os bydd yna rhyw ddarn o sosej, neu grawan yn digwydd mynd i'r sosar amball dro, wel dyna ni. Waeth i'r hen gath 'i gael o ddim. Mae golwg ddigon cwla arni. Mae'r Hen Ŵr yn gwybod y bydd yn aros amdano wrth y sgubor cyn iddo ddod yn ôl am y tŷ.

Mae hi'n ddigon golau felly aiff yr Hen Ŵr i lenwi sosban fach hefo blawd i'r ieir a'u gollwng nhw o'r cwt. Erstalwm fe fyddai o'n canu'r gân honno wrth estyn y sosban ond doedd o heb ganu ers blynyddoedd. Efallai nad ydi o'n gallu canu. Meddylia wneud ond byddai ei lais yn tarfu ar y tawelwch o'i gwmpas. Mae o'n bodloni felly ar wrando ar ei draed, ei anadlu a'r adar. Does yna'r un wy yn y gwellt ond buan ydi hi o hyd. Dim ond fforchio bwyd y gwartheg at ei gilydd eto a mynd am dro o gwmpas y defaid sydd eisio.

Fydd o fawr o dro.

*

Dywed rhai fod defaid yn dwp.

Eto maen nhw'n deall amser, a llwybrau a lle i fynd mewn tywydd garw.

Maen nhw'n iawn yn y bore bach, yn gorwedd yn cnoi cil wedi eu crisialu gan wlith ond erbyn amser cinio gallai un fod ar ei chefn a chyda dau dwll yn hytrach na llygaid yn gwrando ar chwerthin brain.

Ond rŵan maen nhw'n iawn ac mae hynny'n ddigon am y tro. Dysgodd yr Hen Ŵr fodloni erstalwm.

Wrth fynd yn ôl am y tŷ a'r uwd beunyddiol mae'n oedi ac yn sylwi ei fod ar ffin union rhwng dau gae. Neu lle bu un unwaith. O'i flaen y tŷ a'r beudái yn swatio a gweddill y byd y tu ôl iddo a hwnnw'n cychwyn hefo dau gae a weiren derfyn. Bu clawdd yma unwaith, clawdd a godwyd gan ei daid neu'r dyn hwnnw oedd berchen y lle ynghynt. Dyn sy'n fyw o hyd ar dameidiau o bapur mewn drôr yn un o'r llofftydd, yn melynu drws nesa i fariau sebon rhy grand i'w ddefnyddio a hen boteli dŵr poeth.

Bellach dydi'r clawdd fawr mwy na thocyn, rhes o gerrig o dan groen gwelltglas. Gallai'r Hen Ŵr feddwl ei bod hi'n chwith gweld rhywbeth yn dirywio fel hyn ond gan ei bod yn gynnar a bod y gwlith yn sgleinio dim clawdd wedi malu ydi o. Rhywbeth i sefyll arno i gael ei wynt ato. Dim mwy.

Mae hi bron fel bod y byd yn newydd. Digwydda hynny weithiau iddo, rhyw dric yn y golau yn troi y cyfarwydd yn wahanol, dim ond am ennyd. Ar ei hochr o'i flaen mae carreg bron cyn daled â fo'i hun; mae'n debyg mai cilbost oedd hi ddwythaf ond bu ar ei hochr fel hyn ers y medr o gofio. Ond wrth gofio hynny mae o'n cofio rhywbeth arall, ei nain – rhywun sydd bellach wedi toddi'n un atgof hir am ddiwrnodau braf a phethau melys slei bach – yn sôn wrtho y buodd hon yn garreg ateb, unwaith. Fe'i symudwyd hi at ryw bwrpas ond fe ddiflannodd y pwrpas hwnnw a'i gadael hi ar ei hochr i fagu cen.

Carreg ateb, honno y byddai yn gweiddi arni'n blentyn.

Hei.

Helô.

Bydd ddistaw.

Mam.

Ffwcinel.

Mae hi wedi bod yn ddistaw ers blynyddoedd. Efallai nad hon oedd hi prun bynnag.

Aiff am y tŷ.

Wedi cau'r giât am y buarth mae o'n troi eto, i gael golwg ar y defaid, efallai, ac yn sylwi yn y niwl heibio'r garreg fod yna rywbeth yn symud ac yna'n llonyddu.

Llwynog.

Mae'n rhaid.

Meddylia am yr ieir ond maen nhw o fewn clyw ac yn mynd o gwmpas eu pethau yn iawn.

Mae'r ddau yn edrych ar ei gilydd, un ar glawdd a'r llall yn pwyso ar giât.

Un yn meddwl am estyn gwn.

Y llall yn teimlo gwres y ddaear ac yn gwybod am bethau na fedar yr un Hen Ŵr wybod dim yn eu cylch.

Caiff y Llwynog ei lyncu gan y niwl a gan nad oedd o wedi bod yn eglur tydi'r Hen Ŵr ddim yn gwybod yn iawn a fuodd o yno erioed.

Penderfyna gadw golwg ar y ieir yn amlach.

Yno, wrth bwyso ar giât sy'n sglein gwlith i gyd meddylia'r Hen Ŵr fod rhywbeth ar gychwyn, rhyw synnwyr bod edau wedi dechrau llacio. Ond mae hi'n amser brecwast, ac mae yna ddigon i'w wneud.

*

Mae hi'n boeth heddiw eto. Yr haul yn cribinio'r rhesi gwair a'r seilej yn grimpin. Yn llosgi hynny o wlith a gafodd ei osod gan ddwylo'r nos. Nid rhywbeth mewn lluniau plant gyda sbectol haul a gwên ydi hwn. Nid rhywbeth sy'n bodoli yng nghongl chwith tamaid papur. Ond dwrn, un oedd wedi codi ers wythnosau i golbio'r lleithder a'r cysur o bob dim. Mae'r gath druan yng nghysgod y clawdd a golwg wedi haffru arni.

Pwysa'r Hen Ŵr yn nrws un o'r beudái. Fel y tŷ mae'r waliau cerrig o'i gwmpas wedi sugno gaeafau o oerni i'w crombil ac yn dal yn erbyn y gwres didrugaredd. Teimla'i grys yn glynu i'w gefn, ei draed yn pigo a'i anadl yn ei frest. Rhyw dro gosodwyd gwich yno, nid yw'n cofio pryd ond yno mae hi heb fodd rhoi pwt o oel na dim arni.

Gallai gogio gwneud rhywbeth, dod o hyd i ryw joban i'w gneud yn y cysgod. Rai blynyddoedd yn ôl byddai wedi gwneud hynny ond bellach os oedd angen pum munud yna roedd angen pum munud. Gallai pum munud bara'n hir iawn.

O'r drws mae'n clywed synau beics dŵr yn cario o ba bynnag fae y mae'r fisitors yn ei lenwi. Gall sŵn o'r fath gario 'mhell. Gan hynny does yna ddim cyfle i neb anghofio mai byw mewn cae chwarae maen nhw a bod golau mewn tŷ yn y gaeaf yn prysur fynd yn beth hurt.

Ond am lan y môr – am y dŵr o dan y beics y meddylia'r Hen Ŵr ac am y tywod wrth ei odrau o. Efallai fod y tywod hwnnw wedi ei olchi ymaith bellach a thywod newydd wedi ei chwydu o grombil y môr yn ei le o. Efallai bod y creigiau sychu dillad a magu gwichiaid wedi eu cnoi'n bowdr gan y tonnau ac mai dyna oedd yn ronynnau dan draed. Aeth cryn amser ers iddo dorchi ei drywsus yn swil at ei ben-glin a sefyll yn y dŵr a gweld dim ond môr ac awyr a deall rhywbeth. Awyr a môr a dim ond y geunan deneuaf o orwel yn gwahaniaethu'r naill a'r llall.

Awyr a môr a'r gair

MAWREDD

yn ei ben.

Awyr a môr a theimlad o fod mewn eglwys gadeiriol.

Doedd y gwres ddim cynddrwg 'radeg honno.

Byddai rhywun allan drwy'r dydd a'r hogiau hynny nad oedd ots ganddyn nhw yn tynnu eu crysau. Doedd y gwres hwnnw'n gwneud dim ond gwella pethau, yn rhoi lliw iach ar groen a halen ar ddiwrnod.

Os ydi o'n cau ei lygaid bron na all yr Hen Ŵr goelio

hynny ac anghofio am wydrau yn y dwnan a defaid gwyllt.

Mae'r pum munud ar ben. Aiff allan yn ei gwman, yn gwywo fel y chwyn yng nghraciau'r iard.

Tywydd chwarae iawn. Tywydd pwyso ar wal yr ardd yn sbïo ar foliau'r cŵn yn codi a gostwng yng nghysgod coed fala. Tywydd llond gwlad o draed bach ar y cowt. Tywydd orinj sgwash.

Y traed yn dod ar ras i'r tŷ, ar fygu, a rhyw orchwyl ar ei hanner. Twrw'r cwpwrdd a chwpanau a'r tap yn mynd. Yna yfed ar ei dalcen mewn un anadliad a'u llwnc nhw'n clecian. Allan ar wib wedyn gan adael y cwpanau. Yr un rhai bob tro.

Does yna'm cymaint o fynd arno fo'r dyddiau yma ond mae'r botel yn y cwpwrdd a'r cwpanau wedi'u cadw, rhag ofn.

Mae'r Hogiau draw. Cymdogion fel yr hen drefn, dim ond eu bod nhw'n gontractwyr erbyn heddiw ac yn gofyn pres yn hytrach na chymwynas yn ôl. Hogiau sy'n rhegi ac yn chwerthin yn tynnu ar yr Hen Ŵr

ond yn ei alw fo'n chi. Hogiau sy'n cymryd panad –
dioch fowr – ond yn mynd adref am ginio. Hogiau
sy'n dod â'u prysurdeb hefo nhw a'u plant i'w canlyn
weithiau i guddio tu ôl i drowsus ofarôl ac eistedd yn
y cab fel y gwnaeth eu tadau a'u mamau.

Mae sŵn y lapiwr ryw fymryn fel sŵn hogi pladur.
Wrth bwyso ar y giât mae'r Hen Ŵr yn gweld siapiau
yn codi o'r tes, siapiau yn llewys eu crysau sy'n cydio
yn y gwaith.

Does ganddyn nhw'm gwynebau ond mae o'n eu
nabod nhw o ran eu symud. Mae o'n nabod Honno
sy'n chwifio lliain sychu llestri wrth yr adwy fach, mae
hynny'n saff.

Daw rhai o'r siapiau am y tŷ ond daw'r peiriannau
hefyd gan eu chwalu i'r awyr las fel mwg disel.

Wrth fynd yn ôl am y tŷ a chodi llaw ar y peiriant
newydd sy'n gwasgu ei ffordd drwy adwy rhy gul
iddo mewn difri mae'n meddwl sut beth oedd cinio'n
arfer bod.

Ond mae hi'n amser byta. Torra fechdan iddo'i hun o
dorth sydd fel cwch ac eistedd a'i gefn at y lliain sychu
llestri llonydd.

Caiff y gwaith ei orffen ynghyd â phaced o ffig rôls erbyn iddi nosi.

*

Mae hi fel golau dydd yn y llofft, a'r lleuad fawr yn llenwi'r stafell at ei chonglau. Er nad ydi o am sbïo mae'r Hen Ŵr yn gwybod. Gwybod fod y siapiau wrthi o hyd wrth eu gwaith yn y caeau gwag yn dilyn ffiniau cloddiau sydd wedi hen fynd.

*

Mewn amser cymer amser, nid yw amser yn amser wedi i amser ddarfod.

Geiriau a adroddid gan ei daid, efallai mai ei eiriau o oedden nhw a bod pethau eraill fel

Gwell sgwennu blêr na chof da

yn bethau a roddodd o at ei gilydd fel dyn yn codi wal gerrig. Efallai mai eu codi nhw fel mwyar duon wnaeth o o gloddiau llyfrau a chegau pobl erill. Nid yw'r Hen Ŵr yn gwybod. Ond am amser mae o'n meddwl heddiw.

Mae'n meddwl am waith ac am y pethau hynny

sydd wedi dod i'w leihau o. Yn dractors, hwfyrs a chombeins a meicro-wêfs a pheiriannau golchi a thractors mwy a phethau i chwalu tail neu chwyn-laddwyr, tractors mwy eto, poptai a pheth agor tuniau sy'n gwneud ei hun.

Mae'n meddwl am amser, y peth hwnnw sy'n cael hwyl am ei ben wedi mynd.

Meddylia fod arbed amser yn wahanol i'w gynilo, llai ohono fo oedd bob gafael.

Roedd oriau'n mynd i deilo gyda fforch neu godi tocyn tatws yn y cae a rhoi pridd o'i gwmpas i wneud cyrnan ond roedd yna fwy o amser rywsut. Neu felly mae hi'n teimlo bellach er mae'n rhaid fod bywyd beth wmbradd yn haws na buodd o.

Meddylia am y bobl hynny oedd yn byw cyn bod sôn am fforch deilo a thuniau sbam, y rheiny oedd wedi byw filoedd o flynyddoedd cyn iddo sgrechian ei ffordd i'r byd. Y bobl hynny mae'r giwad o'r Brifysgol mor hoff ohonyn nhw.

Daw criw un bore mewn mini-bỳs hefo ceibiau a rhawiau, sigaréts ac eli haul a dechrau tyllu. Bob hyn a hyn mae'r Hen Ŵr yn picio draw ac yn cael gwybod fod pethau diddorol iawn yn dod i'r fei. Pethau sy'n edrych fel cerrig iddo ond nid yw'n arbenigwr. Mae'r pethau mor ddifyr nes bod fisitors yn dod i weld y gloddfa ac yn anghofio cau giatiau gan gymaint eu brys a'u chwilfrydedd.

Ond mae o'n gweld y criw yn un iawn er eu bod nhw'n gweiddi weithiau a bod yr hen le heb arfer hefo cymaint o leisiau. Bob hyn a hyn mae'n crwydro at ben y bryncyn i godi llaw arnyn nhw, i wrando ac i fusnesu. Hola ai ffermwyr oedd y bobl a fywiai yma. Mwyaf tebyg meddai'r bòs mawr yn ei het gowboi. Ylwch meddai a dangos carreg iddo – bu rhywrai, filoedd o flynyddoedd yn ôl, yn gwneud blawd gyda hon.

Mae ganddo gwestiynau at sylw'r Hen Ŵr am safon y tir, lleoliad ffynhonnau a phethau eraill y gwyddai'n iawn amdanynt. O dipyn i beth daw'r ddau i ddysgu oddi wrth ei gilydd. Dangosa'r Hen Ŵr gerrig difyr y bu'n eu casglu ers blynyddoedd a chlywed fod ambell un yn Rhywbeth.

Crafwr crwyn, morthwyl, carreg cynhesu dŵr.

Caiff wybod bod dwylo rhywun, rhywdro, wedi eu siapio.

Saesneg ydi'r rhan fwyaf ohonyn nhw, ambell un

Cymraeg – un yn lleol ac yn codi sgwrs hefo'r Hen Ŵr am hyn a'r llall chwarae teg, ac yn sôn fod y Mynydd wedi bod yn gartref i bobl fel y rhain hefyd. Daeth eraill o wledydd tramor a hynny am fod yr hyn oedd wedi bod dan draed yr Hen Ŵr ers iddo ddechrau crwydro'r caeau yn ddigon difyr i'w tynnu nhw yno.

Maen nhw'n gadael bob p'nawn tua'r un amser a'r mini-bỳs yn sbydu llwch a mwg a rhyw fiwsig curo tunia' uffar.

Un gyda'r nos wrth iddi ddechrau tywyllu aiff yr Hen Ŵr i'w twll nhw i sefyll a chael ei hun mewn cylch o gerrig. Sylwa ei fod yn sefyll ar lawr tŷ rhywrai a fu'n byw yma. Mae o'n deimlad chwithig. Cafodd wybod gan y bòs mawr yn ei sbectol haul ei bod yn bur debyg fod rhai o'i gloddiau wedi eu codi yn yr Oes Efydd a bod rhai cerrig sy'n sefyll hyd heddiw ar ei dir wedi eu gosod gan ddwylo'r bobl hynny. Maen nhw yma o hyd. Wedi eu patsio, eu sythu a'u cynnal gan genedlaethau.

Ni theimla'r Hen Ŵr yn chwithig wedi cofio hynny er ei fod yn synhwyro bod cysgodion y tyllau a'r cerrig o'i gwmpas yn ei wylio. Meddylia am ddweud diolch cyn gadael olion y tŷ, a hoffa feddwl y byddai yntau wedi cael diolch gan y bobl oedd yma, amser maith yn ôl.

Y naill yn diolch am sylfaen a'r llall yn diolch am ddal ati cyhyd. Go brin eu bod nhw'n perthyn. Ddim dyna oedd y peth. Dod yma o rywle wnaethon nhw, fel teulu'r Hen Ŵr, be wnaethpwyd ar ôl cyrraedd oedd yn cyfri.

Mae hi'n amser swpar a'r peth agor tuniau sy'n gwneud ei hun yn barod yn y ddrôr wrth y sinc, gadawa'r tŷ drwy beth oedd y drws ffrynt ryw dro, mwya'r tebyg.

Yn y bore bach mae yna ôl crafu wrth ymyl y cwt ieir, fe'u caewyd nhw'n gynt neithiwr. Y Llwynog. Fel llygod dyma rywbeth i'w ddisgwyl a'i dderbyn ond tydi'r Hen Ŵr ddim yn gwneud hynny.

Byw mae llygoden, mae hi'n niwsans wrth reswm – yn difrodi ac yn cachu yma ac acw ond dim ond gwneud yr hyn sy'n rhaid i fyw mae hi ac mae hynny'n ddealladwy.

Nid byw mae llwynog ond sbeitio.

Lladd o ran lladd, difetha llond cwt o ieir a'u gadael nhw yn eu dillad i bydru.

Gallai'r Hen Ŵr faddau mynd ag un bob hyn a hyn ond nid cwt cyfan.

Maen nhw'n rhy debyg o'r hanner i bobl.

Cofia gwt arall, un sydd bellach ar wasgar yn bren sgrap, yn cau bylchau neu'n lludw. Roedd y cwt hwn yn batant gwahanol i'r arfer – un y medrid ei symud a slatiau oedd y llawr. Rhesi o goediach gyda lle gwag rhyngthyn nhw. Bwriad hynny yng ngolwg ei dad oedd arbed ar waith carthu. Trwy hynny gobeithiai grafangio munudau bob wythnos a fyddai mae'n debyg yn cael eu rhoi at funudau eraill a arbedwyd i greu rhywbeth o werth. Fel hel llafnau olaf darnau sebon a'u gwasgu i greu un darn mawr unwaith eto.

Un bore agorodd y drws a chael yr ieir heb goesau. Rhai wedi hanner eu tynnu rhwng y bariau pren, eraill eto'n fyw ac yn methu symud. Cymylau'n gwaedu, meddyliodd wrth weld un o'r Leghorns. Profodd y patant yn handi i lwynog hefyd.

Creulon oedd peth felly.

Mae'n ysgwyd y llun o'i ben ac yn meddwl am osod carreg drymach na'r arfer ar y drws heno. Chaiff Hwn mo'r gorau arno.

*

Nid fel dilyw ddaeth y glaw ond yn hytrach fesul poeriad.

Teimlodd yr Hen Ŵr y ddaear yn llacio ac yntau a'i gymdogion yn llacio rhyw fymryn hefyd. Wedi'r holl wres didrugaredd yn casglu fel crawn yn y pridd, y llechi a'r dail coed sychion roedd disgwyliad y byddai'r holl beth yn byrstio fel penddŷn mawr rhyw gyda'r nos yn un ffrwydrad o fellt a th'ranau a glaw poeth, bras. Ond nid felly fuodd hi.

Gan hynny chafodd yr Hen Ŵr ddim pwyso yn y shŵr a chlywed oglau tir sych yn dod ato'i hun a boddi'i ysgyfaint yn yr oglau dyfn hwnnw. Yr oglau sydd fel oglau tywod a lledr a choed ac olew ond yr un ohonyn nhw chwaith mewn difri.

Cadwodd y ddaear ei chynhesrwydd a doedd hi'n fawr o syndod iddo weld pennau gwynion yn codi yn swil o'r pridd ymhen rhai dyddiau.

Myshrwms. A'r gair yn lân a chrwn fel y gwrthrych, doedd madarch ddim yn gweddu cystal.

Pan oedd o'n hogyn doedd hi'n ddim ganddo hel

bwcedeidiau ohonyn nhw ond bellach digon ar gyfer ychydig brydau yn unig sy'n codi a hynny bob hyn a hyn.

Gallai sawl peth fod yn gyfrifol am hynny. Y tymor, y llychau gwrtaith, ei olwg yn pallu. Neu fe all y gorffennol fod yn llawnach am mai yn y gorffennol, tir y digon a'r llaeth a'r mêl, oedd o.

Heno cawsai lond llaw mewn pant wrth fynd heibio'r defaid. Roedd rhai wedi crebachu, eraill heb agor ond roedd pump a fyddai'n gwneud y tro. Pump myshrwm, tomato wedi ei haneru ac wy – roedd hynny'n ddigon i lenwi padell.

Mae'r Hen Ŵr yn eu plicio gan osod y stribedi llyfn o groen ar waelod powlen enaml lân, yn tynnu'r coesau, ac yn eu gosod nhw a'u boliau pinc am i fyny. Wrth dynnu stribyn gyda'i fys a'i fawd, fe gaiff ei atgoffa o godi sgert, yna tynnu crys, o feddalwch defnydd a chroen. Does ganddo ddim syniad pam.

Pam fod y meddwl yn mynnu gwneud hyn? Taflu rhywun o un pen i'w fywyd i'r llall gyda dim ond y sbardun lleiaf: oglau fel hen siop neu ddrôrsys ysgol gynradd, darn papur wedi ei wasgu rhwng dau lyfr, enw, neu ddarn croen ffwng bwytadwy. Rhaid bod pwrpas i hynny y tu draw i gasgliad o bethau o fewn penglog yn tanio ar chwiw. Heno mae'n rhaid mai drysu Hen Ŵr sydd am gael swper handi ydi o.

*

Ar y delifision, gyda'r nos, mae 'na raglenni. Ar tsianal ffôr y bydd o'n edrych fel arfer. Yr un hen bethau, ia, ond yn ddigon cysurus yn eu tebygrwydd ac yn gwmpeini ychwanegol heblaw am y tân a'r werlês. Hwnnw ydi'r unig fotwm sydd wedi colli'i baent a'i wisgo. Ond bob hyn a hyn mae o'n newid, yn symud i fyny neu i lawr os oes yna fwy o ailadrodd na'r arfer. Aiff yn ei flaen heno, does na gymaint o janals. Anrheg oedd y delifision newydd, a'i ŵyr yn dweud – ylwch Taid, dros gant o janals. Dros gant! Fel bod disgwyl i'r Hen Ŵr fynd ar ei liniau o'i flaen fel y bobl hynny ar lethrau Sinai wrth i Moses ddod hefo'r slabiau cerrig.

Doedd yna fawr o ddefnydd i dros gant. Eto fel fforiwr bydd yn mynd drwy y dros gant am eu bod nhw yno a bod tsianal ffôr yn salach na'r arfar.

Un noson a hithau'n hwyr daeth ar draws genod noethlymun yn chwifio ffonau arno a theimlo rhyw-beth cyn cofio'i hun, diffodd y sgrin, ac eistedd mewn tywyllwch.

*

Wrth danio'r dractor fach a rhoi'r sgrepar yn ei le mae'r Hen Ŵr yn baglu ar draws rhywbeth yn ei ben. Hen jôc, i'w chlywed mewn tafarndai ac angladdau. Tydi o ddim yn un am adrodd jôcs ond fel hyn mae o'n chofio hi.

Be mae ffermwr yn wneud pan mae o'n gweld golau ar ddiwadd y twnnal?

Oedi i ennyn chwilfrydedd.

Mae o'n prynu mwy o dwnnal.

Pawb yn chwerthin.

Cegiad o beint, sbio o gwmpas.

Ond welodd yr Hen Ŵr ddim golau erioed. Dim cymaint â llewyrch y pryfaid tân bach diniwed oedd yn y coed pan oedd o'n hogyn bach. Dim ond y twnnel a'r duwch yn glynu i'w lygaid o fel triog welodd o. Yr unig olau yn y twnnel hwnnw oedd ffermydd pobol o'i gwmpas o'n llosgi. A rhieni yn taflu eu plant ar y coelcerthi rhag eu bod hwythau'n gorfod crafu'r un ffordd. A golau'r rheiny yn fudur-felyn, fel mwg plu.

Does yna'r un gelyn gwaeth i ffermwr na ffermwr arall.

A'r cynhaeaf yn wael mae sôn y bydd prisiau gwair yn codi'n barod, pawb am y gorau i wasgu ceiniogau o dir wedi'i haffru. Mae pawb isio byw, ond fod rhai am fyw yn well na'i gilydd.

Rhyw b'nawn Sul daw un o'r plant draw ac aiff yr Hen Ŵr ati i ferwi dŵr a cheisio dod o hyd i rywbeth call i'w fwyta. Biti fod y ffig rôls wedi mynd. Dyro baced o grîm-cracyrs ar y bwrdd ynghyd â phot jam siop a dwy baned o de tramp. Sylwa fod yr Hogyn yn sbio arno fo.

Sgwrsia'r ddau am:

Y Tywydd.

Y Plant.

Y Traffig.

Y Niws.

ac unrhyw farwolaethau sy'n berthnasol.

Gorffenna'r ddau eu te a phiga'r Hen Ŵr friwsion y cracyrs oddi ar ei sosar gyda blaen ei fys. Mae'r Hogyn yn sbio o hyd.

Meddai:

Fydda Mam . . .

Ac mae'r Hen Ŵr yn gwybod y byddai hi isio sawl peth. Byw yn un peth. Os nad hynny cael mynd mewn rhyw ffordd well. Creulon oedd y madru yn enwedig iddi Hi o bawb. Methu powlio'n ddigon da, methu codi, methu sychu. Methu dygymod. Methu'r rhyddid. Edrych ar ei dwylo'i hun fel tasa nhw'n ddiarth neu'n dalpiau o bren mwya sydyn.

Ond mi fyddai'n gwenu.

At y diwedd, gwenu nes oedd ond y ddau ohonyn nhw ac yna mi fyddai Hi'n crio wedyn, rhyw grio distaw fel glaw gogor sidan ar ffenast. A be fedra fo wneud? Dim. Dim ond ei dal hi. A dal ati.

Ond na, fyddai Hi ddim am ei weld o fel hyn. Yn crafu rhyw gracyrs cachu-rwj yn de i un o'r plant. Yn swp o fonion coed eithin mewn crys a throwsus. Y cysgod yn crwydro o dun swp i dun bîns am yn ail.

Mi ddylai edrych ar ôl ei hun yn well. Ond wedyn be oedd o i drafferthu yn ei gylch? Llai pwysig o'r hanner na'r terfynau, yr anifeiliaid, y tŷ a'r gath. Doedd yna'm cwilydd gweld yr un o'r rheiny.

Rhaid i'r Hogyn fynd yn ei ôl, mae hi'n ddipyn o daith, chwara teg. Tynga'r Hen Ŵr lw i ffonio'n amlach, i gymryd pwyll a sawl peth arall nad oes disgwyl iddo'u gwneud go iawn. Ond bydd o'n gwneud yn siŵr y bydd yna ddau baced o fisgets call yn y tŷ o hyn ymlaen. Cyn iddo fynd mae'r Hogyn yn crybwyll iddo weld llwynog ar y ffordd yma, ar y groesffordd yn eistedd fel tasa fo biau'r lle.

Aiff i'r Capel.

I dwtio, i roi tro o gwmpas yr hen le ac i chwilio.

Mae'r goriad mawr yn llyfn ac yn oer fel carreg o waelod afon.

Does yna ddim trafferth agor y drws o gwbl, gofalodd am hynny – sicrhaodd fod y drws yn agor yn ddi-lol hyd yn oed os mai llonydd ydi o gan amlaf.

Mae'r Hen Ŵr yn eistedd yn sedd ei deulu ac yn holi cwestiwn.

Dim ond cael eu sibrwd wna'r geiriau. Fe fuon nhw yn ei ben o'n llifo, yn gwreichioni ac yn drybowndian droeon. Ond wrth eu rhyddhau nhw fel hyn, wrth eu gwthio nhw i'r awyr laith maen nhw'n magu pwysau.

Nid mewn tŷ potas mae o'n eu hadrodd nhw, nid mewn ysbyty am dri y bore neu mewn cegin wag ond mewn Capel. Lle y bydd o'n dal i dynnu'i gap o ran parch er bod y merched yn cadw eu hetiau ar eu pennau bob Sul erstalwm.

Ond cragen ydi hwn bellach. Penglog dafad wag ar glawdd terfyn – yr haul a'r glaw wedi'i olchi fo'n wyn. Os bu rhywbeth yma erioed mae o wedi darfod neu wedi symud a gadael cyfrifoldeb o'i ôl. To sy'n gollwng, ffenestri sy'n malu.

Ar adegau byddai'r Hen Ŵr wedi hoffi tynnu'r rheiny sy'n taflu cerrig drwy'r gwydrau i'r sêt fawr a'u colbio nhw. Neu beri iddyn nhw eistedd yno a gwasgu pob dim; pob pregeth a chyffyrddiad, bedydd, c'nebrwng, steddfod, priodas, pob gwên, pob p'nawn o chwysu a gyda'r nos o rynnu – pob un gair i fewn i'w pennau nhw. Dim ond iddyn nhw ddeall. Dim ond iddyn nhw gael cip ar sut beth ydi, oedd, lle fel hwn.

Ond mae o'n estyn dysban a brwsh. Daw'r hogyn, sydd bellach yn dad ac yn byw drws nesa heibio. Mae o'n saer ac yn gosod coediach dros y tyllau am ddim. Bu ei dad yn flaenor.

Bob tro y daw o heibio caiff y ddau shafings sgwrs rhwng planciau tawelwch.

Byddai'n well cael gwydr. Gwydr lliw sydd ar ochrau'r ffenestri, gwydr nad ydyn nhw'n ei wneud mwyach. Neu felly mae'r Hen Ŵr wedi cymryd.

Casgla'r gwydr hwnnw sydd wedi torri odd' ar y llawr a'r pridd y tu allan a'i osod ar ffenest y parlwr. Mae ei gwaelod hi bellach yn wyrdd a choch a glas ymysg y pryfaid wedi ei mymïo mewn llwch. Weithiau pan mae'r haul yn ei briod le mae'n troi y silff ffenest yn bnawn Sul.

A daw Duw draw.

Mae'n well ganddo'r Duw hwnnw, Duw ei blentyn-dod, Duw y lladd a'r daeargrynfeydd a Duw y Capeli llawn. Rhyw dduw wedi madru ydi duw y Beibl Newydd, heb ei hen iaith a heb y grym. Duw y g'nidog bach clên hefo gitâr fyddai'n galw pawb yn 'ti'. Ddim hyd yn oed 'chdi'. Ddim hwnnw oedd y

Duw a gadwodd William Morgan ar ei draed.

Ond anaml iawn y byddai o'n dŵad, ddim bod ots 'di mynd chwaith.

A be oedd Capel? Niwsans yn aml iawn yn tynnu rhywun 'wrth ei waith. A heddiw? Rhywbeth i'w g'nesu, ei sgubo a'i gynnal.

Mae'r Beibl yn gorwedd wedi ei agor ar y pulpud bach fel eryr ar ei hyd. Edrycha'r Hen Ŵr arno a gweld:

' Y MAE amser i bob peth, ac amser i
   bob amcan o dan y nefoedd :
   Amser i eni, ac amser i farw ; amser i
   blannu, ac amser i dynnu y peth a blan-
   nwyd ;
   Amser i ladd, ac amser i iacháu ;
   amser i fwrw i lawr, ac amser i adeiladu ;
   Amser i wylo, ac amser i chwerthin ;
   amser i alaru, ac amser i ddawnsio ;
   Amser i daflu cerrig ymaith, ac amser
   i gasglu cerrig ynghyd ; amser i ymgofl-
   eidio, ac amser i ochel ymgofleidio ;
   Amser i geisio, ac amser i golli ;
   amser i gadw, ac amser i fwrw ymaith ;
   Amser i rwygo, ac amser i wnïo ;

amser i dewi, ac amser i ddywedyd ;
Amser i garu, ac amser i gasáu ;
amser i ryfel, ac amser i heddwch. '

Rhaid bod rhywbeth yn hynny.

Bu bron i ni gael ein hanghofio. Nyni yw adroddwyr yr hanes ond dichon fod yr hanes wedi magu gallu ei hun bellach.

Pwy gofia am lais adroddwr y stori? Y cymeriadau, y digwydd, a erys. Pery'r chwedlau heb y sawl a'u hadroddodd gyntaf gan wreichioni'u ffordd drwy feddyliau pobl.

Golchwyd popeth arall ymaith, megis tywod gan y môr. Er mai cerrig tir ŷm gwyddom am fôr. Fe'i clywir oddi yma. A symuda tir a môr fel ei gilydd dros dragwyddoldeb gan orgyffwrdd. Gwyddom am y môr, fel gwŷr yr Hen Ŵr.

Y mae gair sydd yn swnio fel y sŵn 'Anfarwoldeb'. Ceisia rhai ei gyrraedd. Gwyddom ni hyd yn oed nad oes mo'r fath beth. Daw glaw, daw gwynt. Heddiw, yfory, drennydd, dradwy neu ymhen deng mil deng milenia nes na fydd dim yn weddill. Diflannwn ninnau yn ein tro. Gellir arafu'r pylu terfynol ond ni ellir ei atal.

Crina'r dail, crebacha'r gwraidd ac yng nghraidd y

ffrwythau hynny sydd yn llathraidd yn eu llawnder mae'r pydredd eisoes.

Dyna drefn y byd.

Ni phery dim.

O'r holl bethau a gadwa gof haws i'r tir wneud na dim arall.

Efallai y bydd y straeon yn goroesi am sbel. Ond ni fydd enw neb.

Yr hanes sy'n bwysig.

Try'r tymor – gallwn ei deimlo yn ein craidd, fel y gall yr Hen Ŵr.

Hydref.

Mae'r dydd yn byrhau a'r Hen Ŵr yn dechrau pwyso a mesur a ydi cost trydan yn bris gwerth ei dalu am allu poetsio yn y beudái wedi iddi dywyllu. Eisoes mae'n rhaid cadw'r golau i'r ieir fel eu bod nhw'n dal ati i ddodwy. Wnaiff o ddim o werth mewn beudy a'i ddwylo fo'n drwsgl gan oerni – dim ond trefnu sgriws a mynd drwy'r tatws er bod hynny wedi'i wneud eisoes.

Wrth gwrs, mae'n rhaid cadw golwg ar datws rhag ofn fod yna un ddrwg yn eu mysg nhw ond ddim cymaint ag y mae'r Hen Ŵr yn ei wneud ar ei sach, ar y stôl o dan y bylb noeth a'r bydysawd i gyd yn grwn yn gwasgu yn erbyn golau hwnnw.

Efallai mai dim ond hynny oedd y sêr i gyd – bylbiau o gefn siop Gwilym a llond yr awyr o Hen Ddynion yn gobeithio y bydden nhw'n dal am un noson eto. Dim ond un, nes daw y nesaf.

Cofia'i dad yn gwneud yr un peth yn union. Rhaid bod y sach wedi newid, ond yr un ydi'r beudy, yr un ydi'r stôl. Yr un ydi'r dwylo hefyd, weithiau. Bu hynny'n ddychryn i ddechrau. Rhyw chwiw yn y symud, y golau neu'r ddau yn troi darn o'i gorff yn atgof ond nid hynny chwaith i raddau. Yna gweld ei dad ym mhob dim, yn ei gerddediad, wrth ddal rhaw neu agor giât.

Prin y medrwn Ni wahaniaethu rhwng y ddau a'r gorwel gydag awyr y tu ôl iddyn nhw.

Ond bellach, anaml iawn y bydd y dwylo'n newid. Chafodd dwylo'i dad ddim colli cnawd a magu brychau na cholli'u nerth chwaith. Efallai nad oedd hynny'n wir, fe gollon nhw eu nerth i gyd, unwaith.

Fe aeth o un p'nawn, ar ei hyd ar lawr y cwt mawr. Chlywodd neb hynny, roedd yr Hen Ŵr aceri i ffwrdd yn tyllu draen. Sawl acar? Dim ond digon i dynnu'i wynt o wrth iddo orfod eu rhedeg nhw. Digon i godi mymryn o losg yng nghefn ei wddw.

Chlywodd neb, roedd pawb rhy bell ac mae tail yn feddal. Er na chlywodd neb fe deimlon Ni y dirgryniadau'n llifo drwy'r tir ac fe deimlodd y bobl hynny hefyd i raddau yn yr wythnosau fu'n dilyn.

Roedd y gwaith mawr – y newid – y lledu adwyon a gwella tir a llosgi eithin yn mynd rhagddo, a'r cynllunio. Bob pryd bwyd fe fyddai'r cynllun yn pesgi, yn magu uchelgais. Gosod sylfaen, dyna oedd

o. Wrth i'r galon roi herc a'r llaw lacio aeth y gobaith a fu unwaith yn meddalu'r uchelgais. Gwaith oedd o wedyn, dyletswydd.

Dy dad.

Ar ei hyd mewn tail, rhaw yn sefyll tu ôl iddo fo fel cofgolofn a'r ferfa isio'i gwagio. Neu'r rhaw fel tasa hi wedi ei wthio fo, rhyw fuddugwr yn sefyll uwchben ei gelanedd.

Doctor.

A sŵn traed yn mynd fel diawl ar hyd y buarth.

Ei droi o wedyn ar ei gefn ac estyn hances boced i geisio glanhau mymryn ar ei wyneb o cyn i'r doctor gyrraedd. Ddylai blaenor ddim cael ei weld yn gachu i gyd.

Ond fel hyn yn union fyddai o, meddylia'r Hen Ŵr wrth estyn am daten. Rhedeg ei ddwylo dros groen y dysan yn codi llwch i felynu'r golau. Cael gwared ar y pridd wedi iddo fo sychu. Weithiau os oedd hi wedi bod yn flwyddyn wael o ran hel a heb gael diwrnod iawn i sychu'r tatws yn y cae byddai clapiau o bridd yn disgyn gan strimynnu llwch cyn glanio ar lawr y beudy a gwneud sŵn . . .

Tip-tap.

Dy dad.

Hârt Atác, ei galon o welwch chi.

Diolch, doctor.

Diolch am gyrraedd ymhen llai na dwyawr. Fe fyddai gyrru am y dyn cig neu rwyd o foron wedi bod llawn cystal ym marn yr Hen Ŵr.

Tip-tap.

A dal ati i fwytho'r tatws nes y byddai'r llwch pridd yn gacan ar ei ddwylo. A'r llwch hwnnw'n troi dwylo garw yn rhywbeth tebyg i ledr meddal, lledr siami; hwnnw fyddai'n codi sglein ar geir a moto-beics. Yn feddalach, ac yn llyfnach na chrwyn y tatws.

Dy dad.

Mae cerrig yn rhan o fywyd yma, ac yn rhan o farwo-laeth hefyd. Pan ddaeth y ffasiwn newydd ar Gristn-ogaeth – y grefydd honno a dynnodd addolwyr oddi wrthym ni filenia ynghynt – ffasiwn y capeli, a the bach mewn cwpanau o gypyrddau gwydr a chanu hefo rhyw grynu yn y llais, aethpwyd ati i godi Capel i'r dyrnaid tai oedd yma. Digon o dai bryd hynny i'w trigolion gynhesu Capel o'r fath erbyn yr ail emyn.

Codwyd y Capel ar graig ac wedi tynnu'r croen penglog o bridd o'r fynwent roedd yn rhaid wrth fwy na rhaw i dorri bedd. Caib oedd yr ateb i ddechrau arni, powdwr du wedyn. Newydd orffen godro oedd yr Hen Ŵr pan ffrwydrodd bedd ei dad i fodolaeth, a'i dad yn aros yn amyneddgar yn ei arch yn y parlwr i'r bedd hwnnw fod yn barod. Does yna fawr o ddim yn fwy amyneddgar na chorff, fawr o frys arnyn nhw.

Tip-tap-tip.

Wedi i rywun fynd drwy ddigon o datws bydd y llwch, sy'n chwarae yn y golau ac mewn ysgyfaint yn setlo ac yn barod i'w sgubo. Sgubo ara deg rhag iddo gynhyrfu a chodi eto, ei hebrwng i ddystpan ac yna i sach flawd blastig. Ac mae'r llwch hwn y peth tebycaf i sidan, dim ond ei fod o'n bridd.

Dy dad.

Wedi mynd ym mlodau'i ddyddiau meddai'r g'nidog yn y Capel ac eto wedyn rhwng ei drydedd tafell o fara brith ac ail sgon – o fyddai fiw i mi gymyd mwy, wel, dim ond un.

Wrth edrych ar ei sach ar stôl ei dad meddylia'r Hen Ŵr efallai ei bod hi'n debycach i chwyn ei ddyddiau arno fo'n cael mynd. Doedd pethau ddim yn fêl i gyd hyd yn oed 'radeg honno.

Tip-tap.

Os aeth o yn chwyn ei ddyddiau, yn be mae'r Hen Ŵr bellach? Aeth amser yr hadau, yr egin a'r blodau heibio ers degawdau, amser y chwyn hefyd. Cofia am yr chwyniach rheiny oedd yn gadael coesyn ar eu holau erbyn y gaeaf yn y dalar, yn fudur-wyn fel esgyrn ac yn hisian yn y gwynt. Beth bynnag oedd yr enw ar hynny – esgyrn chwyn? – yn esgyrn chwyn ei ddyddiau oedd o.

Mae'r awel yn feinach heddiw a blas dail crin ac afalau sydd bron yn barod ar yr aer. O'r buarth gwêl yr Hen Ŵr fod y garreg o flaen drws cwt yr ieir wedi disgyn ar ei hochr. Y Fo eto. Disgwylia weld llanast yn y cwt – gwaed a phlu yn blastar dros bob man ac oglau cyrff newydd lond y lle – ond mae'r ieir yn hapus a phob un yno. Oedd y Llwynog wedi symud y garreg felly er ei bod hi'n drymach na'r un oedd o'i blaen hi? Gallai fod wedi disgyn ei hun, gallai'r Hen Ŵr fod heb ei gosod yn iawn. Yn ei frys i gael golwg ar yr ieir bu iddo ffagio'r pridd o flaen y cwt felly does dim golwg o olion traed chwaith.

Mae'n rhaid mai wedi disgyn mae hi. Byddai'n rhy drwm i ddim ei symud a phe byddai'r Llwynog wedi ei symud hi byddai wedi lladd yr ieir.

Be fyddai'r diben i'r Llwynog symud y garreg fel arall? I wneud hwyl am ben yr Hen Ŵr?

Diwrnod sêl. Nid sêl mewn mart, aeth y mart yn bellach bob gafael wrth i'r canghennau grebachu a gadael y boncyff ar ôl. Ymhen dim mi fydd hwnnw wedi mynd hefyd. Sêl ffarm. Un o'r sêls hynny sy'n cymryd bywyd rhywun yn ei dwylo fel plentyn yn dal cyw bach cyn ei bledu fo'n erbyn y buarth. Ymhen dim daw y brain, dim ond fod y brain hyn yn nabod y cyw, yn teimlo'n chwithig mewn ffordd ei fod o'n racs ar y cerrig ond hefyd isio bwyd. A peth cas fyddai peidio mynd draw, hyd yn oed os nad oedden nhw am bigo rhyw damaid neu'i gilydd o'r llwch.

Cymydog. Lled pedwar cae; un a fyddai'n ddigon parchus o ran cadw terfyn a chadw i'w sêt yn y Capel. Fe fyddai sbel lle byddai'r ddau yn gweld ei gilydd yn o aml, yn picio draw yn enwedig pan oedd y plant yn ifanc ond wrth i fyd y ddau grebachu aeth y tyddynnod yn ynysoedd. Bob hyn a hyn byddai potel wydr hefo corcyn ynddi hi'n llifo rhwng y ddwy gyda rhyw 's'mai' neu gerdyn 'Dolig.

Mae patrwm i sgwrs mewn lle o'r fath. Mae patrwm bob sgwrs yn o debyg:

S'mai. Tywydd. Piti de. Tywydd. Hwyl.

Pob tri neu bedwar cam.

Sudachi. Tywydd. Piti mawr. Tywydd. Hwyl.

Dilyna'r Hen Ŵr ei drwyn a'r llanw o bobl o gwmpas y peiriannau a'r geriach a'r nialwch. Aeth y stoc – cymaint ag oedd yno – ers sbel. Cafodd y cymydog ei roi mewn cartref wedi codwm neu ddwy ac wedi iddo fynd i fethu gwneud ei hun, pa bynnag beth ydi hynny.

Peth felly ydi byw – methu gwneud eich hun a chwilio am rywun arall i allu gwneud hefo chi. Ond mae yna rai pethau sy'n anos nag eraill i'w gwneud ar eich pen eich hun; sgwrsio, byta'n iawn, smwddio, chwerthin, clywad oglau piso. Cartref, neu hôm amdani felly. Roedd hôm yn well gair. Roedd rhyw enw ar yr hôm, enw oedd yn awgrymu cysur a hunan-barch, Plas rhywbeth neu'i gilydd efallai neu Dôl y fan a'r fan. Enw nad oedd yn awgrymu dim am gael help i gachu neu grio isio mynd adra.

Sudachi. Tywydd. Ia'n de. Tywydd. Hwyl.

Roedd o'n hapus yno yn ôl y sôn. Wnaeth o ddim ceisio dengid 'run waith.

Cofia'r Hen Ŵr am biodan oedd ganddo mewn caets i hudo piod erill. Roedd honno'n hapus hefyd – yn ddigon dof – nes iddo adael y drws yn agored unwaith a throi'i gefn. Fe aeth hi i'r coed. Wedyn gyda'r nos roedd hi'n ei hôl tu allan i'r caets yn aros.

Tywydd. Atgofion. Ni fydd nesa. Tywydd. Cym bwyll.

Ia. A chditha.

Rhyw oedi, efallai, cyn toddi'n ôl i'r môr o gotiau gwaith a weling-tons.

Crwydra o gwmpas y buarth a chael golwg ar y peir-iannau. Fuodd eu perchennog 'rioed yn un gofalus iawn o'r rheiny, dim mwy nag oedd rhaid. Saif tomennydd o hen geriach a haearn, wedi eu cadw am bris sgrap a rhyw damaid neu ddau yn cael ei luchio at y gweddill bob hyn a hyn. Yr addewid oedd y byddai gwerth pres mawr yno rhyw dro ond roedd yr haearn wedi cancro a rhydu ac wedi 'sgafnu. Hyd yn oed wedyn doedd yna ddim lle iddo yn yr arch.

Mewn beudy daw ar draws hen ffrwynau a geriach ceffyl gwedd – y darnau pres wedi colli eu sglein a'r lledr wedi madru. Gall eu henwi bob un. Wrth eu cyffwrdd mae o'n cyffwrdd ysgwyddau'r hen bartneriaid rheiny a agorodd gwysi wrth eu chwys a stêm eu cyrff. Shani – ia – dyna oedd enw'r gaseg olaf. Bu'r ddau yn dipyn o ffrindiau.

Aiff yr Hen Ŵr i gael paned o'r tryc bwyd, mae'n talu am lond cwpan boleisteirin o ddŵr poeth. Blas plastig arni hi.

Efallai y byddai disgwyl iddo chwerwi a rhegi'r bobl mewn welling-tons glân a chotiau ffermwyr blaen cylchgronau sy'n crwydro o gwmpas yn meddwl troi cafnau bwyd a hen biseri yn bethau dal blodau ond tydi o ddim. Mae'n o hoff o flodau ac yn gwybod fod pethau'n newid. Biti nad ydi pobol yn gallu mynd hefo nhw bob amsar.

Does neb yn prynu'r sgrap.

Dyma b'nawn i wneud rhyw jobsys 'fory'. Bu'r Hen Ŵr yn y cwt tractor am sbel ac wedi iddo ddiffodd yr injan gwrandawa ar sŵn y glaw ar y waliau sinc o'i gwmpas. Bydd hi'n haws newid yr olew a hwnnw wedi cynhesu. Mae'r drws yn agored i'r mwg gael dianc a gall yr Hen Ŵr weld y cymylau yn piwsio a duo wrth i'r gawod fagu gafael. Estynna hen ddesgil enamel fawr a'i gosod i ddal yr olew. Ac yntau yn ei gwrcwd daw'r gath o rywle a mewian ato gan ddod yn ddigon agos iddo allu taro blaen ei fysedd dros ei chlustiau. Wedyn mae hi'n taro'n erbyn ei goes eto ac yn aros am bwl. Pe na byddai'r Hen Ŵr yn gwybod amdani byddai'n taeru ei bod yn hel mwythau. Am ennyd mae'r gwaith a phob dim arall yn cael ei lyncu gan dwrw glaw a chanu grwndi.

Wrth weld y dail crin yn disgyn meddylia'r Hen Ŵr am grebachu. Ni fydd yn edrych yn y glàs i weld ei hun, dim ond wrth eillio ac nid gweld ydi hynny. Yn hytrach mae'n cyflawni gweithred a chan mor aml y gwneir hi tydi'r wyneb heb newid o gwbl ers y diwrnod hwnnw y tynnodd waed cyntaf gyda'i dad yn ei fest wrth ei ymyl. Cadach ar ymyl y ddesgil ddŵr a'r stêm rhyngddo a'i adlewyrchiad.

Ond wrth gerdded heibio ffenest neu wrth dynnu dŵr o'r hocsiad mae'n sylwi arno'i hun ac yn sylwi ar y newid.

Weithiau bydd yn tynnu 'stumiau.

Ond gan amlaf bydd yn gweld cragen sy'n syndod o ddiarth. Gŵyr ei fod yn hen, mae peth felly i'w ddisgwyl. I'w ddisgwyl ond nid i'w weld.

Fel taten a fagodd graciau o dan wyneb y ddaear neu afal a adawyd ar silff ffenest un o'r beudái i wsnio a throi'i liw, rhywbeth sydd wedi magu o'i gwmpas o ydi'r wyneb hwn. Crachen sych a chaled.

Yng nghrychau'r dŵr mae'r wyneb yn nodio arno ac yn ei wawdio. Efallai mai dyn diarth ydi o – drychiolaeth o ryw fyd arall. Ond efallai mai'r oll sydd yma ydi Hen Ŵr yn drysu ac yn pwdu am iddo gael byw mor hir.

Breuddwydio fod pethau'n ôl fel yr oedden nhw wna'r Hen Ŵr. Hafau'n hirach, gaeafau oerach. Pobl yn fyw.

Heno mae o allan yn Cae Dan Lôn yn tyllu twll a hithau'n boeth. Mae un o'r plant ac athro o'i ysgol gynradd yn y cae hefo fo. Tydi o'n meddwl dim am hynny. Mae'r tyllu yn araf, bron yn llesg fel mae symud mewn breuddwyd weithiau.

Rhwng trawiadau'r drosol yn erbyn cerrig a chrafu rhaw yn y pridd mae sŵn cweithi llwynog i'w glywed. Y sgrech honno sydd fel arfer yn dod yn y nos i ganlyn croen gŵydd a sêr miniog.

Tydi'r twll yn mynd ddim dyfnach, na'r tocyn pridd fawr mwy ond does yna'm llawer o ots am hynny. Tyllu 'di'r peth. Mae'n taro suntur a daw sŵn o'r tŷ, sŵn ei enw fo yn cario ar y gwynt a'r stêm o'r gegin. Dau nodyn uchel nad ydi o wedi'u clywed ers degawdau, dim ond fel hyn yn yr oriau mân.

Mae hi'n amser cinio ac wrth gamu i fewn i'r sgubor sydd rhwng y buarth a'r gegin daw'r oerni meddal hwnnw sydd mewn tai cerrig yn yr haf drosto. Daw'n ymwybodol o'i grys unwaith eto wrth i'r chwys ddechrau oeri a sychu.

Mae Hi yn y gegin yn canu dan ei gwynt yn ôl ei harfer a'r stêm yn chwyrlio o'i chwmpas – yn dawnsio wrth iddi symud o'r bowlan at y jwg laeth neu at un o'r pedair sosban.

Gwisga ei brat amdani wedi'i dynnu'n dynn, un ddolen o'r cwlwm uwchben ei phen ôl fymryn yn hirach na'r llall. Saif yr Hen Ŵr yn ei gorff ifanc wrth y drws yn pwyso ar y ffrâm.

Pren oer ac oglau berwi tatws.

Wrth edrych arni, chwys a dafnau o stêm moron yn ysgafn ar ei thalcen fel powdwr babi mae o'n teimlo – nid chwant neu nwyd na chariad chwaith mewn ffordd ond bodlonrwydd, sicrwydd. Nid hapusrwydd, peth prin ydi hwnnw waeth be ddudith telifision a werles. Rhywbeth sy'n fflachio i fod ac yna'n diflannu fel macrell i ryw ddyfnder diarth, i fôr mor dywyll nes ei fod o'n biws. Rhywbeth dyfnach, fwy solat ydi'r teimlad. Rhywbeth fydd – pan ddeffrith yr Hen Ŵr – yn codi gwayw ac yn ei adael yn wag fel hen blisgyn wy ar lawr cwt, yr ieir wedi sbydu'i du fewn o ers y golau cyntaf.

Ond tra parith hwn mae'r teimlad yn ei lenwi fel yr oglau berwi yn llenwi'r gegin.

Tollta'i wraig ddŵr y berwi i'r sinc a choda'r stêm yn golofnau a chwalu'n wyn o un pared i'r llall. Cerdda o'r stêm fel rhyw ddynas mewn ffilm.

Dau funud.

Dim ond y gwaith stwnshio moron sydd. Dau funud ond mae dau funud werth y byd yn grwn.

Aiff i eistedd a daw'r plant a Defi i fewn fesul un. Caiff y tatws o dan eu cwrlid lliain sychu llestri glân eu gosod ar y bwrdd. Fel llewod mae trefn i bwy gaiff y llwy gyntaf, bydd y tatws wedi eu cyfri ac mae pawb yn gwybod faint maen nhw i fod i'w gael.

Mae o'n codi'r lliain a choda oglau bwyd ac oglau cadach newydd ei olchi gyda'i gilydd, y tatws gwyn yn felyn am eu bod nhw mewn desgil wynnach. Gwena.

Yna mae'r oglau bwyd yn troi'n oglau poeth, miniog ac mae'r Llwynog ar y bwrdd. Blydi Llwynog, ar y lliain bwrdd.

Eistedda'r Llwynog mor agos nes fod y pridd a'r darnau bach o wellt ar ei bawennau o'n hollol eglur. Hen Lwynog sy'n nabod pobol. Hen Lwynog sy'n syllu i lygaid yr Hen Ŵr am oes gyfan nes bod ei deulu o gwmpas y bwrdd yn madru'n sgerbydau, y tŷ'n troi'n llwch a'r ddaear yn troi ac yn troi'n ddim a'i daflu i dduwch y cosmos. Does yna'r un haul na seran sydd mor llachar â'r llygaid o'i flaen.

*

Deffra. Mae hi'n dal yn dywyll. Ymhell yn y duwch drwy'r gwydr mae sŵn, rhyw arlliw o sgrechian llwynog ond mae o'n sŵn mor fain nes y gallai o fod yn sbring oddi tan yr Hen Ŵr yn gwichian wrth iddo droi.

*

Weithiau mae rhyw deimlad yn codi yng nghrombil yr Hen Ŵr a'i fygu bron. Rhywbeth poeth a phigog sy'n rhoi'r ysfa iddo weiddi a thaflu pethau a malu. Teimlad fod rhyw addewid wedi'i fradychu yn rhywle a bod pethau i fod yn well. Ond tydi o ddim yn gweiddi, nac yn taflu dim. Fyddai ddim diben gwneud hynny.

Fe wnaeth o ryw dro – yn ifanc – methu ffeindio hoelen o'r maint iawn yn y tun hoelion yn y beudy. Nid dyna oedd y drwg go iawn, rhyw bethau eraill nad ydi'r Hen Ŵr yn, neu am, eu cofio. Y rheiny'n cyniwair ac yn magu'n un llanast nes byrstio. Aeth y tun yn erbyn y wal a'r jariau sgriws wedyn, ciciodd fwcedi a cheisio taflu'r cwpwrdd heb gofio ei fod o wedi ei roi o'n sownd wrth y wal gyda bracedi rai wythnosau ynghynt. Yna, yn sydyn roedd o'n wag ac eisteddodd ar risiau coed y llofft ben beudy. Aeth ati i lanhau'r llanast.

Rŵan roedd yna lanast arall.

Mae'r plant yn dda hefo fo. Ddim digon da i aros adra i lusgo byw fel eu tad ond mae o'n deall pam. Bob hyn a hyn mae o'n meddwl, tybed a fyddai o wedi gwneud un o'r cant a mil o bethau y gallai o fod wedi eu gwneud os byddai un ohonyn nhw wedi aros yn nes neu wedi aros adref. Wrth gwrs, tydi'r fan hon ddim yn adref iddyn nhw bellach. Maen nhw'n dod yn ôl ond fedar yr un o'r tri ychwanegu adra at hynny.

Ond wedyn doedd o ddim i fod yma chwaith. Cofia'i fam wedi torchi'i llewys ac yn sychu'i dwylo ar ôl golchi llestri yn dweud:

Dos yn ditsar, ddim fa'ma ydi dy le di. Gin ti ddigon yn dy ben.

Mae'r Hen Ŵr, yn ifanc unwaith eto yn gweld ei chroen hi yn goch ac yn llaith hyd at ei phenelin. Cafodd farciau da, ond mae o wedi meddwl gadael yr ysgol a dod adra i weithio. Gêm ydi hon. Gwyddai ei fam nad oedd modd i'w frawd ieuengaf fynd ati i ffermio ar ei ben ei hun er bod llai ym mhen hwnnw a thrwy hynny yn ôl trefn synnwyr y byd fo ddylai aros.

Birmingham oedd ei hanes o yn y diwedd, magu teulu yno wedi gyrfa'n trwsio peiriannau lladd Almaenwyr a rhyw elynion eraill ddaeth i lenwi bwlch yn y coffrau. A'r ddau frawd yn dysgu mai gwneud iws o rwbath mewn pen ydi'r peth, nid beth sydd ynddo fo i ddechrau o reidrwydd.

Gwyddai bryd hynny mai fa'ma oedd ei le o, waeth pa mor stowt yr edrychai ei fam yn plethu ei breichiau o flaen ei brat ac yn dal lliain sychu llestri fel pastwn.

Efallai y byddai'n well pe tasai wedi gadael, wedi mynd yn ditsar neu weinidog neu'n ddyn a wnaeth hi'n haws i ladd pobol a ymddangosai ar y pryd fel rhai drwg. Ond wnaeth o ddim. Arhosodd. Ac roedd o'n falch iddo wneud hynny ac yn damio'r un pryd. Fama ydi'i le fo a da hynny ond bob hyn a hyn mae o'n casáu hynny nes bod yn ddigon iddo chwydu. A sut bynnag, doedd yna'm dewis yn y diwedd. Felly mae'r Hen Ŵr yn cysuro'i hun.

Roedd yn falch ei fod wedi aros pan aeth ei fam. Dywedodd hithau hynny hefyd. Roedd yn falch pan roddodd hi'r gorau i anadlu ei fod o ar gadair wrth y gwely yn hytrach nag ar gefn moto-beic ar ei ffordd yno o ddinas yn Lloegr. Gallodd sefyll yn ffenest y llofft wedi iddo lanhau wrth glywed injan ac olwynion ar gerrig mân. Yna gwrando ar y crio yn dod o'r stafell wely fel mai fo oedd yr un oedd wedi bod yn bustachu i edrych ar ei hôl hi . . . ond mae'r

Hen Ŵr yn atgoffa'i hun fod meddwl pethau o'r fath yn annheg.

Yr un mor annheg â meddwl am delifision a'r pethau eraill oedd gan ei frawd; am y moduron a'r modd y byddai ei blant o'n sbio ar eu cefndryd a'u cyfnitheroedd ac am ba mor llawn a chyfforddus yr edrychai ei wyneb pan ddeuai draw bob haf i ymweld. I aros unwaith neu ddwy ac unwaith cynnig arian am gael gwneud. I 'helpu'.

Gwyddai yr Hen Ŵr ei fod yn flêr hyd yn oed yr adeg honno ac na wyddai ddim am Boots, travellers cheques a Spaghetti Bolognese.

Efallai na phenderfynwyd dim go iawn. Un yn prynu Massey Ferguson 135 yn ail-law a'r llall yn prynu Yamaha newydd am mai felly oedd hi.

Roedd posib – meddylia'r Hen Ŵr wrth osod y lluniau yn ôl yn y tun bisgedi a sodro'r caead arno – meddwl gormod.

Doedd yna ddim iws difaru ond . . .

Ond.

*

Daw'r plant draw mewn criw yn achlysurol. Plant fydd y plant waeth faint o flynyddoedd y gwnân nhw eu hel a'u cadw fel hancesi yn eu cotiau. Yng nghefn y ceir mawr daw y plantos. Bob hyn a hyn byddant yn aros a magwrfa eu rhieni'n troi'n Fytlins.

Yli defaid

Yli buwch

Yli coed

Tydi eu hacenion nhw ddim yn ffitio ond maen nhw.

Eiriodd yr Hen Ŵr y gwelyau, hebryngodd bryfaid cop ffyddlon drwy ffenestri a gwnaeth dân yn y parlwr. Prynodd bethau wedi eu rhewi oedd i gyd wedi eu gorchuddio yn yr un briwsion bara.

Mae gan yr hynaf brosiect yn yr ysgol. Nid gwaith cartref, Taid, ond prosiect. Mae'r prosiect yn trafod y gorffennol a gan mai'r Hen Ŵr ydi'r unig un o'r gorffennol sydd wedi goroesi cyhyd – bu farw Taid a Mam-gu yr ochr arall ers sbel a chafodd y fechan erioed nabod ei nain – fo ydi'r cynrychiolydd. Y llysgennad.

Cymer arno nad yw'n cofio rhyw lawer.

Ond ar y dydd Sul – rai oriau cyn y daw'r car i droi rownd yn yr iard a sgubo'i olau'n hegar ar hyd y cloddiau – mae'r ddau yn eistedd wrth y stôf.

Gofynna ei wyres a gaiff recordio'r Hen Ŵr, ar fideo. Cynigia'r Hen Ŵr fynd i newid i ddillad taclusach cyn clywed na wnâi hynny'r tro gan na fyddai hynny mor naturiol er y byddai newid yn llawn mwy naturiol ym marn yr Hen Ŵr.

Mae ganddi gwestiynau ond mae rhwydd hynt iddo siarad fel y mynn.

Dywed fod llawer wedi newid ond fod pobl yn eu hanfod yr un fath ond tydi hynny ddim yn plesio.

Hoffai hi wybod am Y Gorffennol: Y Rhyfel, Dyn ar y Lleuad, Hen Bres.

Tydi'r prosiect yn hidio dim am briodi, am blant neu gant a mil o bethau digri y clywodd o bobol yn eu dweud.

Hoffai hi wybod am bethau fel dogni bwyd, nôl dŵr o ffynnon a chanhwyllau.

Sylwa'r Hen Ŵr mai wrth ei ddiffygion y caiff ei

orffennol ei fesur – dim letrig, Natsïaid, a chachu tu
allan.

Sut beth oedd byw heb . . . ?

Anodd ydi esbonio nad oedd rhywun yn meddwl am
müller corners cyn eu bodolaeth nhw.

Rhaid felly fod bywyd yn waeth.

Ond bywyd oedd o, a'r un ydi bywyd. Ddylai o ddim
cael ei liwio'n wahanol gan nostalgia na'i waethygu
wrth ei ddal at ddelw o fyw fel arall.

Ond nid dyna ydi gwaith y prosiect, Taid.

Lle oeddech chi – dyna un arall.

Yma.

Waeth be oedd yn digwydd – miliynau yn marw,
bom, dynas yn gwrthod codi ar fŷs, dyn yn cael ei
saethu, wal yn dymchwel, roced yn llosgi, rhywun yn
marw mewn twnnel, awyren yn taro tŵr. Yma oedd yr
Hen Ŵr. Adra. A thra oedd y pethau hynny i gyd yn
digwydd roedd yna bethau i'w gwneud a thrasiedïau
bychain, personol i'w gadw'n ddiwyd.

Mae'r prosiect am y tro wedi'i orffen.

Yna, hola'r fechan am ei nain. Sut un oedd hi? Byddai'n well gan yr Hen Ŵr drafod siopau cryddion a cheffylau gwêdd.

Sut mae rhywun yn hel bywyd rhywun – a'u hel nhw i gyd – i ffitio ateb i gwestiwn o'r fath?

Oedd yna air?

Gofalus efallai, o eraill.

Clên?

Ffeind.

Hwnnw.

Dim cabaij i un o'r plant. Torri crystiau i un arall. Pawb i gael croen y pwdin reis yn eu tro. Morol bod twb o farmeit yn y tŷ i'r Hen Ŵr er bod yn gas ganddi oglau'r sglyfath peth.

Addfwyn hefyd.

A gwell, yn well na'r Hen Ŵr. Mi allai, meddylia, fod wedi gwneud yn llawer gwell nag o.

Ac yn glyfar, fel chdi. A'r fechan yn gwenu'n debyg
Iddi ar ôl clywed hynny.

Mi oedd hi . . .

o gwmpas ei phethau.

yn un gre.

yn fyw.

Heb yn wybod iddo bron bagla atgofion o'r Hen Ŵr.
Fel y bydda hi'n hymian canu yn y gegin ac yn hymian
y dôn wrth glywed emyn ar y werles. Fel y byddai'i
gwenu hi'n llenwi stafell. Fel y bydda pobol am wybod
be oedd hi'n wneud o rywbeth cyn penderfynu.

Ceisia wneud hyn oll gan gadw'n siriol. Teimla
wedyn wrth i olau'r car gribo'r cloddiau ar hyd y lôn
gan adael yr ardd ŷd yn dywyll a gwag na wnaeth o
joban iawn ohoni.

Sylwa'r Hen Ŵr nad wrth ei ddiffygion y mae ei
orffennol o'n cael ei ddiffinio ond yn hytrach wrth ei
golledion.

'Ac fe a'm gadawyd yn unig.'

Geiriau ei nain wedi iddi sylwi mai hi oedd yr unig un o'i chriw nad oedd wedi'i chladdu. Erbyn hynny doedd hi ddim yn gallu powlio'n dda iawn. Ar achlysur angladd cyfeilles ysgol iddi aeth yr Hen Ŵr i'w gweld ac eistedd yn gwrando ar y cloc mawr. Soniodd ei nain am fel y byddai'r ddwy yn chwarae yn y tŷ gwair rhwng pyliau o weithio neu ddysgu. Wrth iddi gofio am y gemau hynny roedd arch yn cael ei chuddio yn y pridd mewn mynwent ryw hanner milltir i ffwrdd. Ymhen chwe mis fe aeth hithau ar ôl ei ffrind i chwarae mig rhwng pryfaid genwair.

Erbyn hyn mae golau'r car wedi mynd rownd y tro, ac wedi cribinio topiau'r cloddiau'n daclus. Does yna ddim ond styllan o olau o'r drws a siâp rhy denau Hen Ŵr sy'n teimlo'i oed. Byddai'n well iddo fynd i'r tŷ ond sefyll mae o.

Dim ond y fo bellach a gofia'i blentyndod. Does yna neb arall ar wyneb y ddaear gron sy'n cofio'r hogyn hwnnw mewn llodrau byrion. Nac ychwaith y cant a mil o bethau hynny a ddigwyddodd ar b'nawniau hafau a oedd – bob amser – yn las a melyn am yn ail. Nac oglau gwyddfid a chusan neu bwysau cath ar lin neu sut oedd dynwared Tomi Tai Dŵr.

Fo oedd ar ôl.

Tŷ yn ddistaw.

Rhaid fod yna rywbeth i'w wneud, ond ni all feddwl am ddim.

*

Yn y bylchau y bydd o'n ei gweld Hi. Maen nhw'n llai, ac yn llyfnach o gwmpas eu hochrau erbyn hyn ond maen nhw yno o hyd. Yn fuan ar ôl y gnoc mi oedden nhw'n finiog ac yn fras a dod ar eu traws nhw fel taro llafn cyllell yn ddisymwth mewn drôr. Mi ofalodd amser am eu sandio nhw dow-dow.

Doedd y tŷ'n ddim ond bylchau i ddechrau arni. A gwynt a glaw yn chwipio drwy bob dim. A wedyn dyma ffendio fod dyddiadau'n gallu bod yn fylchau hefyd, a digwyddiadau. Bod rhywun yn gallu disgyn ar ei ben i bydew wrth fyta pryd bwyd neu glywad oglau.

Ar adegau bydd yn agor y bwlch yn fwriadol.

Ar y bwrdd bach â drych arno fo sy'n erbyn y parad gosa at y ffenast yn y stafell wely mae yna bedwar peth. Brwsh gwallt, corn sgidiau, bocs bach gwydr a'i lond o o dameidiau pethau a goriad ffenast, a'r botal.

Potal sent ydi hi. Does ganddo ddim cof o'i phrynu
Iddi na'i gweld yn cyrraedd chwaith ond yma mae hi.
Unwaith yn y pedwar amser fyddai Hi'n taro rhyw
fymryn arni. Achlysuron arbennig bob tro. Ond er
mor anaml y clywodd o'r oglau yn codi gyda gwres ei
chorff mae o'n ei gofio fo'n iawn.

Mae'r Hen Ŵr yn eistedd ar y stôl wrth y bwrdd
bach sydd â drych arno fo sy'n erbyn y parad gosa at
y ffenast ac yn codi'r caead. Arogla. Estynna wedyn
heibio botymau ei grys at y croen o dan ei asennau,
gwthia drwy'r croen a'r haen denau o fraster, drwy'r
cnawd a gafael yn yr esgyrn. Yna, fel rhywun yn agor
hen Feibl, rhwyga'r asennau'n agored a rheiny'n
clecian fesul un wrth ildio. Disgynna'i ymysgaroedd
yn swp ar y mat wrth iddo blicio'i ffordd at ei galon,
ei dal a'i gwasgu'n swp fel tasa hi'n fawr mwy na
mefusen. Gwasga a gwasga nes mae'r gwaed yn oeri.

Neu felly mae o'n teimlo beth bynnag.

Dyro'r caead yn ei ôl dan y tro nesaf.

*Yn ein mêr teimlwn yr oerni'n cripio'n nes. Teimla'r
Hen Ŵr yntau ddyfodiad y dyddiau bychain a'r rhew.
Y gaeaf ydyw amser y colledion i rai. Agorir y ddaear
wrth ein traed yn amlach i gladdu yn y misoedd
hyn na'r un cyfnod arall. Derbyniwn fwy o esgyrn
mewn oerni na chynhesrwydd. Cawn ein cuddio gan
niwl, fe'n gorchuddir gan farrug a'n lapio mewn eira.
Daw dŵr i graciau bychain a rhewi, eu hamlhau, eu
hehangu a'u dyfnhau. Awn o'r golwg mewn stormydd
glaw ac yn yr oriau hynny o dywyllwch sy'n cau am y
golau. Fe'n curir gan elfennau hŷn na ni.*

*Ond parhawn i wrando. Amser distaw ydyw gaeaf er
udo'r gwynt a siffrwd glaw. Amser da i glywed. Ym
mhob hanes rhaid wrth gyfnodau tywyll. Yn straeon y
plant a fu'n chwarae wrth ein godrau gwyneba'r arwr
dywyllwch cyn codi at fuddugoliaeth.*

Colledion.

*Gwyddom am golledion. Am alar a rhwystredigaeth
a chasineb, mae'r pethau hyn yn gynefin i hen bethau,
boed gerrig neu ddynion.*

Gaeaf.

Eira. Rhywbeth prinnach nag y buodd o. Bob tro y daw o mae rhywun yn rhywle yn cofio rhyw eira mawr neu'i gilydd ac yn mynnu sôn am galedi y cyfnod hwnnw fel pe na bai byw fel arfer yn galed o gwbl.

Eto, er ei waethaf y mae'r Hen Ŵr yntau yn cofio mwy o eira nag eira heddiw wrth sefyll wrth y drws ffrynt sydd yng nghefn y tŷ. Anaml y bydd y drws yn cael ei agor. Gadawyd y goriad ynddo i hel dafnau dŵr ar ddiwrnodau oer fel pe bai'n chwysu. Magodd we pry cop ac o'i agor y bore hwnnw daeth congl y mat gydag o a hwnnw wedi glynu gan arferiad i'r teils.

Drws grant oedd o, un plastig wedi'i osod fel degau o rai eraill mewn ffermydd tebyg. Drws fôt neu ddwy. Ond wedi mynd yn beth digon sâl erbyn hyn.

Heddiw, agorwyd y drws a hynny am fod modd gweld y môr, yr ardd, cae a Mynydd wrth bwyso ar y ffrâm. Mae popeth bron yr un lliw – y môr yn llwydach efallai – fel pe bai'r eira wedi dechrau toddi'n slwj wrth gerbán y traeth.

Brysia'r oerni i fewn heibio bysedd ei draed. Mae hi'n

oer yn y tŷ ond cafodd yr oerni hwnnw ei ddofi gan ddodrefn a chyffyrddiad yr Hen Ŵr. Oerni gwyllt y coed a chraciau cerrig sydd y tu allan.

Edrycha i lawr a gweld rhai o'i fodiau yn dod drwy wlân ei 'sanau a chofia rhywun yn dweud 'tatws newydd'.

Meddylia'r Hen Ŵr am y disgrifiadau hynny o eira y bydd plant yn eu gludo o'u cegau ar bapur pob lliw – siwgr eising, blanced, cwrlid (er mai'r un peth yw'r ddau i bob pwrpas), dandryff duw. Canfas wag heb ei phaent, lludw'r flwyddyn, gwyn.

Ond diffyg ydi eira. Crëwr undonedd a phopeth yn colli'i siâp.

Carchar hefyd. Mae hyd yn oed y geunan hon – prin fodfedd ar y cowt – yn ddigon â pheri dychryn neu oedi i'r Hen Ŵr. Pe byddai'n baglu a thorri asgwrn byddai'n marw. Byddai'n rhewi fel hanner tyrci yng nghefn y dîp ffrîs a byddai rhywun – yn bostmon neu dyst Jehofa, yn dod o hyd iddo. Byddai'r anifeiliaid yn llwgu.

Ond os nad aiff o allan o gwbl byddant yn llwgu beth bynnag. A tydi hi ddim cyn waethed ag oedd hi flwyddyn yr eira mawr hwnnw.

*

Heno, am ei bod mor oer a'i fod yntau'n mynd yn wirion yn ei henaint caiff y gath ddod i'r tŷ. Mae hi'n wyliadwrus i ddechrau ond buan mae hi'n setlo ac yn mwynhau'r gwres. Caiff y ddau sgwrs, unochrog braidd, dros swper. Gan na wnaeth hi fegeran tafla damaid o grystyn ati yn bwdin. Tara'r Hen Ŵr bapur newydd ar lawr o flaen y stôf iddi. Chaiff hi ddim mynd i ben cadar, mae'n rhaid wrth ryw fath o safonau.

*

Heddiw mae'r eira wedi rhewi a phob cam yn hongian am ennyd cyn chwalu'i hun drwy grystyn nad yw'n fwy na sglein. Mae olion traed o gwmpas cwt yr ieir ac wrth y drws. O'u gweld wrth ddrws y sgubor yn y bore egwan meddyliodd mai rhyw gi oedd wedi bod draw yn y nos ond erbyn iddi oleuo rhyw fymryn traed y Llwynog oedden nhw.

Pam fyddai'r Llwynog yn dod at ddrws sgubor sydd yn arwain at y tŷ?

Roedd rhai yn dod â nhw o'r dinasoedd yn ôl y sôn a'r rheiny'n llwynogod dof a blewyn gwahanol arnyn nhw. Pa bynnag beth oedd o, a pha bynnag reswm, roedd o'n rhy agos o'r hanner.

Dilyna'r llwybr traed o'r tŷ at y cwt ieir ac yna drwy'r caeau. Dangoswr mawr yw eira a hynt pob bronfraith a chwningen i'w weld, a hen ddynion hefyd. Hawdd iawn fyddai i ryw heliwr ei ddilyn yntau.

Cadwa'r traed at fôn cloddiau lle mae'r eira'n aml ar ei deneuaf. Yna maent yn troi i dorri ar draws cae, dilyna'r Hen Ŵr nhw gyda'i fryd ar ddod at wâl neu draul. Ond maen nhw'n rhoi'r gorau iddi – yn diflannu – ynghanol y cae. Edrycha o'i gwmpas a does dim golwg o ddim ond eira heb ei gyffwrdd a rhes olion traed hen ddyn. Yn sydyn teimla'r Hen Ŵr yn fach iawn ynghanol y fath ehangder.

Mae hi'n oer yn y gwely. Mor oer nes bod y botel ddŵr poeth yn teimlo'n bell a'r Hen Ŵr yn ei gwman o dan y dillad. Rhaid ei bod yn chwipio rhewi heno a'r lleuad finiog yn troi'r Mynydd yn wyn. Mae hi bron mor olau â dydd y tu allan a barrug yn crwydro'r cysgodion.

Meddylia'r Hen Ŵr sut le sydd ar gopa'r Mynydd heno ynghanol y gwynt sy'n deifio pob dim a'r grug brau. O dipyn i beth mae'r gwely'n dadmer digon iddo allu cysgu.

Cwyd o'i wely a chael ei hun wrth y drws cefn mewn byd sy'n arian. Gall deimlo'r barrug dan ei draed ond nid yw'n oer. Rhaid ei fod yn breuddwydio neu fod ei gorff yn y gwely o hyd ac mai rhywbeth arall sy'n sefyll yma gefn nos heb bwt o ddillad.

Try i'r dde a gweld y Mynydd yn annifyr o eglur yn erbyn y sêr fel tasai'r nos wedi ei hogi.

Caiff ei hun ar wastadedd eang sydd wedi ei chwythu'n fflat. Does yna'm coed na chlawdd i'w gweld yng ngolau'r lleuad agos, dim ond cerrig. Rhai sy'n sefyll fel dynion ac eraill yn llai wedi eu casglu i waliau blêr. Mae llygaid yn eu mysg nhw, llygaid sy'n sbio.

Nid yw'r Hen Ŵr yn eu cyfarch gan iddo synhwyro mai llygaid sydd yno yn unig, nid clustiau.

Symuda'r lleuad i ddangos carreg fawr, tebyg i gilpost neu un o'r cerrig hynny sy'n sefyll mewn caeau mewn rhai llefydd o hyd. Mae'r lleuad yn codi y tu ôl i'r garreg i'w fframio hi a'r ffigwr sy'n ymgodymu â hi yn eglur.

Rhaid ei fod yn ceisio ei dal rhag iddi ddisgyn.

Rhaid ei fod eisiau cymorth.

Aiff yr Hen Ŵr ato. Nid yw'r ddau yn siarad ond wrth i'r garreg droi a throsi mae'r ddau yn mynd at eu gwaith. I ddechrau cychwyn tydi hi'm yn teimlo fel bod y garreg am ddisgyn o gwbl ond wrth beidio â'i dal mae hi'n llithro. Mae hi'n troi'n annhymig.

Teimla'r Hen Ŵr ei hun yn cael ei wasgu a chroen cennog y garreg yn cau amdano a'i wthio i'r pridd. Mae'r ffigwr yn ei thynnu'n ôl a llwydda'r Hen Ŵr i'w gwthio a'i sadio. Saif y ddau yn noeth ac yn anadlu a'r garreg rhyngthyn nhw. Does dim siarad i fod er y byddai'r Hen Ŵr yn hoffi diolch. Cynigia'i law.

Wedi oedi mae'r ffigwr yn ei chymryd fel petai o am ei hysgwyd ond gafael ynddi mae o a'i law o'n oer. Yn oerach na barrug neu wynt neu graig. Mae'n dal llaw yr Hen Ŵr yn dynn ac yn hoelio'i lygaid arno. Sylwa'r Hen Ŵr nad amlinell wedi ei chreu gan leuad oedd duwch ffurf y ffigwr – nid silowét – ond ei fod o yn dalp o'r nos, yr un lliw yn union â'r darnau fflint hynny sy'n dod o'r ddaear weithiau yn y caeau.

Nid ffigwr ydi o ond ffigyrau. Dynion a merched a phlant yr un pryd. Yn ei lygaid mae'r sêr a'r lleuad a cherrig a chanrifoedd bwygilydd. Teimla'r Hen Ŵr yn ifanc.

Yn ei syndod mae'n llithro ac mae'r garreg yn troi a'i wasgu unwaith eto. Ei wasgu drwy'r grug a'r pridd a'r graig a thrwy graidd y Mynydd du yn ôl i'w wely oer.

✳

Digon pethma ydi'r Hen Ŵr ond bod gwaith yn galw. Wedi iddo estyn morthwyl at y rhew yng nghafnau dŵr y defaid sylwa'r Hen Ŵr fod un ohonyn nhw wedi mynd yn sownd a'i phen drwy waelod weiren. Dyna oedd natur defaid, deisyfu blewyn glasach a thalu am fod yn uchelgeisiol, ond nid defaid yn unig wna hynny. Ceisia fynd yn ei blaen yn hytrach nag am yn ôl wrth iddo gerdded ati gan fochio'r weiren. Yna, aiff ohoni'n lân gan neidio a strancio a chyn iddo'i chyrraedd a tharo llaw ar ei chefn mae'r Hen Ŵr yn clywed stanc yn rhoi.

Damia.

Bellach mae'r ddafad yn llonydd, yn magu'i nerth ac yn aros i ddechrau strancio eto. Cymer yr Hen Ŵr y cyfle i gael ei wynt ato ag ager ei anadlu'n gymysg hefo un y ddafad. Mae'r ddau wedi haffru.

Cyn iddi roi herc arall mae'n mynd fesul llond llaw o wlân at ei phen ac yn llwyddo i'w llacio o'i lle. Aiff ar wib gan adael yr Hen Ŵr yn pwyso ar ei ffens heb ddim mwy na'i saim hi ar ei ddwylo.

Bydd yn rhaid gosod stanc newydd. Yn hytrach na thynnu'r hen un a chael ei waelod o o'r pridd hefo trosol penderfyna'r Hen Ŵr osod un newydd wrth ei ochr. Joban dyn diog fyddai hi rhyw ugain mlynedd yn ôl ond joban o anghenraid oedd hi bellach. Byddai'n cymryd gweddill y bore fel oedd hi.

Â i'r cwt tractor i chwilio am stanc ail-law go-lew, yna i'r beudy i chwilota am y bwced styffylau. Rhaid bod rhywun wedi ei symud hi. Mae'r morthwyl ganddo'n barod. Gordd eto, a throsol.

Aiff at ei waith gyda llygaid y defaid yn syllu arno uwchben cegau sy'n symud o hyd.

Wrth fynd ati mae ei feddwl o'n crwydro.

Doedd o'm yn bodoli erstalwm. Neu os oedd o doedd o'm yr un peth. Fe fyddai ambell un – gan gynnwys ei daid – yn mynd yn wael weithiau. Fe wyddai pawb sut beth oedd y 'gwael' hwnnw, er mai'r un gair oedd o. Roedd rhywbeth am y cyd-destun neu'r ffordd y byddai o'n disgyn o gegau pobl fel darn o ham heb ei gnoi yn iawn oedd yn gwneud yr ystyr yn ddigon amlwg.

Mae'r twll bellach reit daclus. Slap neu ddwy hefo'r ordd i gael y stanc i'w le sydd isio eto. Yna estyn y styffylau i roi y weiren yn sownd. Cinio wedyn, falla.

Nid gwael annwyd, neu gowt neu gansar ond rhyw wael arall anos ei fesur. Ond yn yr un modd ag y byddai coch yn disgrifio torth a the a gwaed, a llwynog, roedd gwael yn newid ym meddyliau pobl os nad eu cegau nhw.

Stwffwl. Ond wrth frysio mae'r Hen Ŵr yn taro cainc a'r stwffwl yn neidio oddi ar y stanc wrth i'r morthwyl ddod o hyd iddo ac i lawr â fo i guddio yn y gwellt.

Rŵan mae'r Hen Ŵr yn clywed fod y geiriau oedd yn gwneud mwy nag un job wedi rhannu a geiriau newydd wedi dod i'r byd. Bara brown, te du, iselder ysbryd. Gair brown ydi iselder yn ei feddwl o. Un o'r geiriau gwneud newydd sy'n dod drwy'r post ar ffurflenni a rhywun mewn swyddfa wedi rhoi genedigaeth iddo rhwng paned p'nawn – diolch Rachel, pilsen felys yn lle siwgr os gwelwch yn dda – ac amser ei droi hi am adref.

Aiff yr Hen Ŵr ar ei liniau i chwilio am y stwffwl. Does yna neb yn gadael stwffwl mewn cae fel hyn. Waeth pa mor anodd ydi dod o hyd iddo fo gallwch fentro y bydd dafad neu fuwch yn gwneud ac y bydd y stwffwl yn cloffi neu'n sleifio mewn cegiad i du mewn rhywbeth ac aros yno'n malu ac yn cydiad fel gair neu atgof go gas.

Rhywbeth newydd ydi o felly, er ei fod o wedi bod erioed.

Wrth redeg ei ddwylo drwy'r gwellt tamp – fel petai'n ddall neu'n chwilio am bres mân – a tharo tameidiau o goed drain cofia'r Hen Ŵr am y rheiny oedd yn dioddef cyn i'r gair fodoli.

Hwnnw, Richard, yr hogyn distaw fyddai'n tanio'r gwres yn y Capel. Hen lanc. A'r ddau wedi bod yn ffrindiau mawr, unwaith. Y ddau wedi gwneud dipyn hefo'i gilydd ond wedi pellhau, fel oedd pethau. Dim golwg ohono am ddiwrnod neu ddau cyn i rywun gofio fod ganddo fo oriad i'r Capel. Ac yno oedd o gerfydd rhaff yn crogi o ddistyn. Rhwng dwy lamp a'r gwres heb ei danio. Hollol lonydd. Wedi hen setlo, fel pendil. Diawl o job torri'r rhaff gyda chyllell boced.

Daw'r stwffwl i'r fei. Coda'r Hen Ŵr yn ara deg. Mae dau gylch carpiog ar ei bengliniau lle bu'r tir yn ei lyfu. Sytha'r stwffwl gydag ergyd ysgafn gan y morth-wyl ac ailgydio ynddi. Tynha fymryn ar y weiren.

*

Mae'n rhaid i chi fyta Dad.

Esbonia ei fod yn bwyta, yn gyson, cawsai fechdan i ginio.

Ond mae hi'n aea, rhaid i chi fyta rwbath poeth hyd'noed os na jesd wy 'di ferwi dio.

Felly heddiw a hithau'n aeaf ac yn oer mae'r Hen Ŵr yn berwi wy ac yn ei fwyta. Hefo bechdan.

*

Mae'r glaw yn chwipio'r ffenestri, y landeri'n poeri a'r ffoes yn y cae agosaf at yr ardd i'w gweld yn frown a chwyddedig yn erbyn ei glannau. Daeth yr Hen Ŵr i'r tŷ yn gynt am de heddiw. Gadawodd ei gôt oel i grio'n ddistaw bach wrth y drws cefn ac i'r dafnau hel at ei gilydd yn bwll ac i'r pwll ymledu'n ddu.

Ceisia gynhesu wrth roi'r teciall i ferwi, rhwbio'i ddwylo a'i goesau, pwyso'n erbyn y stôf cyn eistedd am bum munud bach.

Mwyaf sydyn mae o yn y Capel. Does yna ddim glaw, na golwg o deciall.

Mae Richard yno yn eistedd wrth ei ochr a llyfr emynau ar ei lin. Eistedda yn ei ddillad gorau a'r un ôl smwddio gofalus arnyn nhw ag y buodd erioed – byddai ei chwaer yn dod i olchi bob wythnos. Gwena ar yr Hen Ŵr wrth droi i edrych arno ac mae hi fel petai wyneb Richard wedi ei olchi'n lân a'i smwddio hefyd, heb arlliw o grych. Yng ngolau'r p'nawn a'r lampau mae ei groen mor wyn â chynfas ar lein ddillad a'i fochau fel petaen nhw'n llawn o wynt braf y gogledd. Gwynt y môr. Gwynt digon â deffro neb.

Gwena'r Hen Ŵr yn ôl.

Mae Richard yn cusanu'r Hen Ŵr, yn y Capel, yn sêt y teulu, dair rhes o'r pulpud. Mae hi'n gusan hir, ysgafn, fel awel a blas awyr iach, gwair a heli arni.

Braf.

Yna mae'n codi a sylwa'r Hen Ŵr nad oes ganddo dei am ei wddw ond yn hytrach rhaff. Eto tydi hyn ddim yn rhyfedd ond yn hytrach yn naturiol ac yn gweddu, fel mae ambell i het od yn edrych yn iawn ar ben rhai.

Aiff Richard o dan y distyn lle mae rhaff yn aros – tydi hi ddim am ei wddw fo bellach – ac mae ei grys wedi agor. Wrth godi ei hun ar gefn un o'r seti i'w chyrraedd rhag iddo ddisgyn rhaid iddo roi ei freichiau allan bob ochr iddo fel rhywun yn cerdded ar ymyl denau. Neu rywun wedi ei hoelio ar groes. Gosoda'r rhaff a sefyll gyda'i freichiau ar led cyn gollwng ei hun.

Y rhaff yn tynhau a'r lampau'n diffodd.

Daw'r Hen Ŵr ato'i hun. Rhaid ei fod wedi cysgu.

Ceisia anghofio am y freuddwyd ac am Richard. Thâl hi ddim i godi'r grachan honno wedi'r holl flynyddoedd.

Mae'r glaw yn dal i ddyrnu'r gwydr a'r teciall wedi codi berw.

Cafodd y gath ei bwyd ac aiff yr Hen Ŵr am y tŷ. Mae'r gwlith yn drwm y tu allan ac wedi cyrraedd at ddrws y sgubor gan adael llinell daclus rhwng y tu mewn a'r tu allan. Tynnu ei gôt wrth fynd am ddrws y tŷ mae'r Hen Ŵr pan wêl fod ôl gwlith ar lawr y sgubor ac ar stepan y drws. Pawennau. Olion pawennau oedd wedi dal lleithder y tir ar eu ffordd yma. Nid pawen cath ond un fwy. Reit at y drws. Reit at y tŷ cyn troi rownd a gadael. Doedden nhw ddim yno pan ddaeth o allan rhyw hanner awr ynghynt. Faint mae hi'n gymryd i wlith sychu ar deils, ar lechen a choncrit? Ddim yn rhyw hir iawn hyd yn oed os ydi hi'n oer, ac mae'r gwynt a'r awyr las yn gwneud heddiw yn ddiwrnod sychu iawn.

At ddrws y tŷ. Fuodd O i mewn? Mae'r waliau cerrig yn teimlo fel croen ar bwdin reis mwya sydyn. Caiff y brecwast ei anghofio.

Dolig. Mae hi'n oer a'r dyddiau duon bach am wddw'r Hen Ŵr fel mwclis. Ond mae llgodan fach a'i pheglau i fyny ar y mat. Presant llawn cystal â sanau a bocs o daffi. Heddiw bydd y car glân yn dod i'r iard i'w ddanfon i dŷ sy'n llawn oglau powdrach golchi a chig mewn popty. Gwisga ei ddillad gorau a rhoi cap am ei ben ac mae'n eistedd i aros iddyn nhw gyrraedd. Y ferch, neu'r mab yng nghyfraith ac un neu ddau o'r plantos ddaw i'w nôl a'i ddanfon. Prynodd focs o fisgedi a'i lapio gyda phapur tenau ddaeth o siop sydd bellach wedi cau; rhoddodd bres wedi ei blygu mewn amlenni.

Pan fydd o'n cyrraedd y tŷ bydd y plantos yn gweiddi ac yn dangos y pethau newydd iddo a bydd yn rhaid mynd drwy bob dim. Pan ddaw'r cinio caiff blât gyda mwy o gig nag y mae wedi arfer ag o arni ac yn ddi-ffael fe fydd rhywbeth yn 'wahanol' am fod rhyw ddyn neu ddynes ar y delifision wedi gwneud yr un peth. Bydd pawb, ar adegau, yn siarad o'i gwmpas a bydd y tŷ yn rhy gynnes o'r hanner.

Ond bydd y bwyd yn dda, bydd yn dda chwarae a cheisio dal pen rheswm hefo'r plantos ac yn dda cadw sgwrs hyd yn oed os ydi hi'n arwynebol a ffurfiol ar brydiau. Bydd yn dda gweld ei ferch yn hapus a gwybod ei bod hithau'n teimlo fel y gwnaeth o ar adegau o'r fath, sef os nad ydi pethau'n berffaith yna maen nhw'n iawn. A bod hynny – fel pryd da o fwyd – yn ei ch'nesu hi heddiw.

Mae hi, fel pob un ohonyn nhw wedi gwneud yn dda iddi'i hun. Mae ganddi yrfa a bywyd haws na'i un o.

Ond ymhen amser bydd yn gwybod ei bod yn hen bryd iddo ddod yn ôl adref. Caiff gynnig aros yn hwyrach, dros nos – mae 'na wely sbâr – ond mae o fel pawb arall yn gwybod bod yn rhaid dod yn ôl. Nid am ei fod o heb fwynhau ei hun, na bod ei dŷ a'r iard a'r caeau'n well ond am mai felly mae hi i fod. Grym arferiad, efallai. Mae o'n waith mwy na diwrnod i droi trwyn oes gyfa. Ac fe fydd yna waith. Mae hwnnw'n ddiddiwedd.

Felly fydd hi eleni eto, reit siŵr.

Yna, sŵn corn yn yr iard.

✳

Croesawa'r oerni a'r oglau cyfarwydd yr Hen Ŵr yn ôl i'r tŷ tywyll. Gallai fynd i'w wely ond mae hi'n 'Ddolig o hyd. Gan hynny â i'r cwpwrdd y tu ôl i'r cadeiriau a sbeuna am botel wydr gyda chaead metel arni.

Tydi hi fawr gwacach na phan agorwyd hi. Mae rhai pethau yn werth eu cadw ac mae mwy o werth yn y cadw na'r peth ei hun.

Mae llun dyn ar flaen y botel ac ar y cefn rybuddion am feichiogrwydd.

Rhaid mai presant 'Dolig oedd hon.

Estynna am wydr a dod o hyd i gwpan, fe wnaiff y tro.

Wedi i'r botel wneud digon o sŵn llyncu am yn ôl mae'n sefyll a'i wydr-gwpan yn ei law. Does yna ddim ond un lle i fynd heno.

Os bu Tir Neb yn y tŷ erioed yna'r parlwr ydi hwnnw.

Yn fwy felly wedi i'r sawl a fyddai'n ei gadw fynd. Peth arall i'w gadw. Cwpwrdd gwydr o le.

Mae'r drws yn ddigon cyndyn o agor ac yn llusgo'i draed ar y carped. Carped sydd am na hwfrwyd o ers blynyddoedd yn glynu'n ysgafn wrth 'sanau'r Hen Ŵr ac yn ei atgoffa eto nad ydi hwn yn lle i'r byw.

Dylai estyn am olau ond wnaiff o ddim. Gwirion. Gwirion er ei fod yn gwybod am leoliad pob dim a bod y golau o'r stafell arall yn torri ffos ar draws y llawr a'r pared. Er bod y golau hwnnw'n troi'r fframiau lluniau yn un llewyrch fel sgrin telifision wag mae o'n gwybod pwy sydd yn y rheiny hefyd. Eistedda ar soffa damp a chymryd swig.

Doedd y blynyddoedd heb fod yn glên iawn, nac yn ffeind, nac yn deg. Ond nid dyna oedd eu pwrpas nhw. Dim ond symud oedd pwrpas blynyddoedd. Rowlio'n mlaen, cnoi – fel y môr. Doedd neb yn cwyno bod hwnnw'n llyncu traeth. Wnaiff amser ddim aros i fynydd, i goed nac i dro anfesuradwy'r bydysawd. Pam felly y dylai hen ddyn mewn slipas a throwsus llac gwyno?

Ac fel rhywun yn sefyll ar draeth – wrth geg y llwybr ymysg yr hesg a'r bagiau plastig cachu ci – gall yr Hen Ŵr weld y blynyddoedd yn ymestyn yn ôl yn eu crynswth fel stribyn o dywod gwlyb weithiau. Ac mae gweld hynny'n wahanol i weld ambell damad o froc bob hyn a hyn.

Mae'r Hen Ŵr yn synnu weithiau fod y fath flynyddoedd wedi mynd heibio, yna'n teimlo bod llawer mwy wedi'u sgubo ymaith ac wedi glynu fel gronynnau wrth ei draed i wneud iddyn nhw lusgo. Eto yn ei ben dim ond rhyw chwarter ffordd ar hyd y traeth mae o er bod ei gorff o'n mynnu tynnu'n groes.

Fuodd colli'r plentyn ddim yn hawdd, yr hogyn bach hwnnw oedd yn amlach na pheidio yn gwneud dim ond chwerthin, wedi mynd. Tydi'i enw fo ddim yn hawdd chwaith. Byth ers diwrnod y c'nebrwng chafodd yr enw mo'i ynganu, yn ei glyw o beth bynnag. Rhaid fod ei wraig wedi gwneud, ac wedi sôn wrth yr hogia a'r ferch ddaeth wedyn i chwerthin eu hunain er nad oedd o'r un fath. Ac fe soniodd y rheiny wrth eu plant hwythau i ateb pam fod yna enw arall ar fedd Nain yn barod ac i esbonio hanes enw un ohonyn nhw.

Poen bol. Dyna'i ddechrau fo. Rhyw gastia rhag mynd i'r ysgol. Ond na, mi oedd o'n waeth na hynny ac fe fyddai o'n lecio mynd i'r ysgol beth bynnag. Yno roedd ei ffrindiau o i gyd – y bobol hynny oedd wrth dyfu a thwchu a gwynnu yn dangos eu hunain, er na allai'r Hen Ŵr ddweud dim am hynny. Y rheiny a fyddai'n nodio pen neu'n codi pwt o sgwrs am fod yna ryw gysylltiad o hyd. Hyd yn oed os mai dim ond p'nawn gwlyb ym mis Awst a'r dafnau glaw mân yr un tymheredd yn union â thymheredd deigryn oedd o.

Poen bol. Rhyw bigyn gwaeth mewn un ochr a dim yn tycio.

Ei wraig, y fam, yn boenus. Yntau'n g'letach, felly roedd tad i fod.

Ond roedd yr hogyn bach yn sâl. Sâl go iawn.

Doctor. Hwnnw'n cyrraedd mhen 'chydig a'r hogyn bach hefo gwres ar ei wely. Ei fam o wrthi'n dal cadach tamp ar ei dalcen a phlethu brat am yn ail. Yr Hen Ŵr allan yn gweithio, yn taflu ei hun i'r carthu ond rhyw gnoi yng nghefn ei ben o'n mynnu codi.

Doctor yn mynd o'r tŷ ar fymryn o frys – traed ar yr iard unwaith eto – yna ar ei feic yn mynd i lawr am y siop i gael y ffôn yn fanno.

Ambiwlans. Rhosbitol.

Fel pob hogyn bach isio'i fam oedd o. Hi aeth yn nhrwmbal y peth, ac roedd 'na waith. Godro. Cau ieir. Byddai rhaid i rywun wneud hynny. Ond doedd dim angen poeni'n ormodol, doedd y driniaeth ddim yn rhy gymhleth a byddai un o'r cymdogion yn siŵr o allu cynnig pas iddo i'r rhosbitol erbyn amser galw am gleifion y diwrnod canlynol.

Daeth ambell un draw.

Be sydd?

Ambiwlans. Rhosbitol.

Bo dim yn iawn?

Ambiwlans. Rhosbitol.

Gaiff o ddŵad i chwara?

Ambiwlans. Rhosbitol.

Hidiwch befo.

Mi gwela i o fory.

Ond doedd hynny ddim i fod.

Fe farwodd yr hogyn bach – nad oedd yn gwneud dim ond cordeddu mewn poen a chrio am ei fam 'di mynd – ar ei ben ei hun yn oriau mân y bore mewn ward mewn 'sbyty. Ei fam mewn stafell arall ar gadair bren, am nad oedd neb i fod ar y ward a'i dad mewn gwely oer yn syllu ar olau'r lleuad yn cripian ar draws paent y to.

Wedi marw mae arna i ofn. Nace, died. Dyna wnaeth o yn y 'sbyty. Chafodd o ddim marw nes y daeth y newyddion i'r tyddyn – tyddyn heb dân call a gweddillion brecwast digon symol yn y ddesgil olchi.

Fuodd o mewn poen?

Mae hi'n bur debyg y buodd o.

Wyddai'r Hen Ŵr ddim sut oedd ymateb i glywed peth felly.

Tydi o ddim yn diodda rŵan, rhaid bod hynny'n gysur i chi.

A brathu tafod a chladdu gwinadd i gledr ei law oedd yr unig atab i beth mor ffwcedig o wirion i'w ddweud â hynny.

Y Doctoriaid oedd y bai, cymryd y gallai o aros tan y bore. Roedd 'na barti mlaen y noson honno a'r nyrsys yn siŵr o ddod a doedd hogyn bach – nad oedd yn gwneud dim ond gorwedd yn llonydd mewn bocs pren 'di mynd – yn ddim na allai aros.

Fe fuodd yntau'n aros am dridiau yn y parlwr, heb dân, i'w gladdu beth bynnag.

A'r fath bobol, y fath gydymdeimlo. Hyd yn oed mewn sir arall dros y Mynydd fe glywodd rhai am yr hogyn bach hwnnw oedd wedi mynd i'r rhosbitol ac wedi marw. Trodd yn esiampl o ba mor lwcus oedd plant eraill a gawsai fyw. Naw oedd o.

Naw.

Doedd pobol ddim yn marw yn rhosbitol. Dyna oedd yr Hen Ŵr wedi'i feddwl. Mynd yno i fendio roedden nhw.

A doedd plant – hogia bach naw mlwydd oed oedd â dwy llgodan wen mewn caets ar y silff ben tân ddim. Ond dyna oedd dechrau'r dysgu mai lle da i farw oedd hosbitol. Mai rhyw bant o le oedd o lle byddai marwolaeth yn hel.

Cyn hynny yn eu gwlâu adra fyddai pobol yn marw.

Roedd ffrindiau'r hogyn bach yn rhy fychan i gario arch. Ewythrod, cymdogion a thad gafodd wneud hynny. Doedd hi'n ddim gan yr Hen Ŵr daflu'r mwrddrwg dros ei ysgwydd a'i gario fo o un pen cae i'r llall yn dangos nythod adar a'i gosi fo ond roedd angen help i gario'r arch. Roedd honno'n drom.

Gallai'r Hen Ŵr daeru bryd hynny fod yna dwll maint y bedd wedi agor ynddo fo a bod rhywun fel yr hogia fuodd wrthi – yn daclus chwara teg – wedi rhedag caib a throsol drwyddo yntau.

Ond roedd isio godro, a charthu, cau ieir. Mynd i'r tŷ i fyta, a chysgu'n unig ac fe agorodd dwll mwy na bedd rhwng gŵr a gwraig. Doedd yna ddim blodau i fod, roedd o wedi penderfynu hynny, hen sioe, a doedd sefyll uwchben bedd yn lles i neb. Fe ufuddhaodd Hi, heb ffraeo fawr ddim ar y pryd. Ond wnaeth Hi ddim anghofio, roedd o'n gwybod hynny ac fe ddaliodd hynny rhyngthyn nhw at y diwedd. Doedd o ddim yn ei beio.

Wnaeth Hi ddim chwerwi. Mi gadwodd yn gymdoges dda ac yn ofalus o blant eraill ond fe gollodd bwysau. Sylwodd yr Hen Ŵr ddim ar y pryd, doedd o'n sylwi ar ddim ond fe dorrodd y ddau ohonyn nhw yn eu ffyrdd eu hunain. Cyd-fyw ar wahân.

Heblaw ei bod yn magu mân esgyrn fe fyddai Hi wedi dal ati i wanio a'i gŵr wedi dal ati i fforchio

gwair a chario cachu wrth ei hochr Hi nes y byddai
Hi wedi mynd yn esgyrn a'r esgyrn yn bowdwr a'r
powdwr yn llwch.

Ond fe ddaeth mab arall, ac un arall wedyn a merch
a wyrion a wyresau ac o dipyn i beth fe lanwyd y twll
ond thyfodd o fyth yn las.

Ddylai'r un rhiant orfod claddu plentyn.

Gwyddom am gariad hefyd. Gwybyddus ydyw gan i gariad ymgnawdoli mewn deubeth, gair a chorff. Sawl chwerthiniad a chyfarchiad a sibrydiad a adleisid o'n calonnau ninnau dros y blynyddoedd? Y geiriau bychain sydd eto'n anferth yn siffrwd rhwng cloddiau agos ar nosweithiau hir yr haf megis gwellt llaes o dan rym y gwynt. Geiriau cyn felysed ag oglau eithin, gwyddfid a briallu.

Y gweiddi hefyd, wyneb arall o garu mewn rhyw ffordd y tu draw i'n dirnadaeth ni a sawl un arall.

Gwyddom am wres cyrff sydd wedi eistedd a gorwedd a charu arnom. Llifodd y gwres hwnnw'n ddyfnach na gwres unrhyw brynhawn braf. Ymhell wedi i'r gwres rhwng y rhai a'i creodd bylu ac oeri a'u gadael yn rhincian dannedd ac yn teimlo'n noeth, goroesa yn ein crombil ni o hyd.

Gan fod cariad yn siapio pobol a phobl yn ein siapio ni fe'i hadwaenwn er nad oes yr un garreg yn caru'r llall.

Medda'r Hen Ŵr ar gariad at le. At y tir, y coed a'r cloddiau. At gasgliad o aceri a'i magodd o llawn cymaint â phobl. Yn y cariad eang a rhyfedd hwn mae lle i gerrig ac felly er na theimlir cariad ynom at ddim cawn ein caru. Carodd bobl hefyd yn ei ffordd ei hun. Greddf yw hon ganddo, yn yr un modd ag y mae cyfri'r geiriau a sefyll yn reddf i ninnau.

Llacio a chynhesu yw cariad, fel y gwanwyn.

Gwanwyn.

Mae'r gwynt yn y lle iawn heddiw ar ddiwrnod drycinog. Mae'r Hen Ŵr yn clywed sŵn y môr, ni wnaeth hynny ers talwm byd.

*

Er bod yr almanac yn sôn ei bod yn wanwyn, oer ydi hi o hyd. Mae'r ddaear yn galed. Mae wyneb y cafnau dŵr yn galed. Mae mynd ati i wneud rhywbeth yn anodd.

Tydi hi ddim yn syndod felly i'r Hen Ŵr wrth iddo ddod o hyd i gorff gwylan yn y cae o dan yr ardd ei fod o'n gallu teimlo asgwrn ei brest o dan y plu. A hwnnw fel blaen rhaw o fain. Yn hyll o amlwg o dan y croen tyn.

Does dim gwres ar ôl yn y corff cyffiedig. Mae hi'n destun meddwl i'r Hen Ŵr ai marwolaeth neu'r oerni sydd wedi troi creadur cynnes ac ystwyth yn lwmp o bren neu boleisteirin. Y ddau efallai.

Ceisiodd yr wylan roi ei phen o dan ei hadain cyn marw ac mae'r pig wedi diflannu ond mae un llygad felen i'w gweld o hyd. Wrth edrych arni mewn byd o wyn – mae'r barrug yn dal ei afael o hyd heddiw – mae'r Hen Ŵr yn cofio nad ydi o wedi gweld yr haul erstalwm.

Bydd yr oerni'n cadw'r pydredd rhag magu, gallai'r wylan fod yno am rai wythnosau fel delw. Ond wrth iddi nosi does dim yn y cae heblaw am ysgyrion plu. Llwynog.

Colledion. A hithau'n aeaf byth a'r gwanwyn heb hel ei draed. Daw'r newyddion yn ara deg a distaw fel plu eira. Sibrydion wrth basio – rhai wrthi fel petaen nhw'n cyffesu, eraill yn cymryd arnyn nad ydi pethau mor ddrwg â hynny ac yna'r hanesion yn eu dilyn nhw fel adar cyrff.

. . . cant a phymthag o wŷn wedi mynd adag yr eira mawr . . .

Tewch.

A mae hi'n wlyb. Mae hi'n oer. Mae hi'n chwythu. Mae'n rhaid prynu bwyd i mewn a hwnnw'n ddrud. Prisiau'n codi nes fod marjin fel llafn rasal.

Aiff traed y defaid yn wael. Dechreua'r gwartheg ddod â lloi a hithau ddim yn ffit i roi'r ŵyn allan eto. Rhaid taflu ŵyn i ddannedd y ddrycin i farw i wneud lle i fwy yn y siediau a bydd y rheiny yn eu tro yn mynd i'r corsydd o gaeau ac yn cael eu darganfod yn sypiau fel cadachau golchi llestri gwlyb yn wyn yn erbyn y baw. Cânt eu taflu i drwmbal, yna i sach flawd a'u claddu yn y slyri o ddaear a oedd am y gorau i'w llyncu nhw beth bynnag.

. . . sefnti sics ne eti tŵ o ddefaid 'di bwrw'u hŵyn . . .

Tewch.

A hithau'n mhell i'r gwanwyn does dim golwg o achubiaeth. Caeau'n frown, neu'n goch.

Mawrth a ladd, Ebrill a fling.

Mae golwg fel cyrff wedi'u blingo ar rai, yn baglu'u ffordd drwy'r caeau yn dal cnawd noeth eu breichiau a'u perfedd yn llusgo yn y baw y tu ôl iddyn nhw. Bwganod brain ar gefn cwads. A rhyw obaith ymysg teuluoedd y daw graen yn ôl i'w hwynebau nhw fel y caeau ymhen amser. Cysgu o flaen yr aga ar y llawr, a breuddwydio gwaith nes bod pob dim yn un stremp lliw pibo.

Efallai mai felly mae'r Hen Ŵr, does ganddo ddim amser i feddwl.

Coda ar ei draed a sadio'i hun. Gwaed oedd dim ond ychydig funudau ynghynt yn boeth ar fraich wedi dechrau rhewi. Mae hi'n oer heno – neu bore 'ma – a chysgodion llwynogod yn chwilio am frychau ac ŵyn gwan rownd conglau llygaid yr Hen Ŵr.

Daeth un oen yn ddarnau yn ei law wrth iddo geisio'i dynnu heno.

Mae'n debyg na fydd y ddafad byw fawr hirach chwaith.

*

Ma'n rhaid – meddai rhywun, ryw dro – ein bod ni'n mwynhau hyn, neu fyddem ni'm yn ei wneud o.

Tewch.

Nid pres 'di bob dim.

Tewch.

Cariad at y gwaith.

Tewch.

Ma' 'na reswm ma raid chi.

Tybed.

Tybed – meddylia'r Hen Ŵr wedi iddi oleuo dipyn wrth wylio ŵyn bach yn prancio'n od o ystrydebol – ai hynny ydi o. Mae yna sawl un erioed sydd wedi drysu'r cyfarwydd am gariad a grym arferiad am bwrpas dyfnach.

Tybed.

Neu ai rhywbeth tebyg i ffoes ydi o; tydi'r dŵr ddim ond yn dilyn yr un llwybr am mai felly mae hi. Neu eog – y rheiny oedd yn afon Sanglorian erstalwm. Dod yn eu holau bob blwyddyn i'r un lle er bod crëyr glas ar yr un tro yn yr afon a'r plant yn cosi boliau oddi ar yr un dorlan, honno oedd yn feddal braf gan fwsog a gwellt mân. Dod yn ôl, gwneud yr un peth am mai hynny oedden nhw wedi'i wneud ers Oes yr Iâ. Ac fel samon tybed oedd gwneud rhywbeth arall y tu draw i amgyffred rhai.

Ddim isio bod yn yr ysgol. Isio ffarmio. Neu disgwyl mai dyna oedd y drefn. Y llwybr wedi ei dorri'n blaen gan draed tad a thaid, mam a nain ac yn ôl ac yn ôl.

Ddim isio ffarmio mewn difri ond yn methu meddwl am ddim arall.

Gadael ysgol, ac adra.

neu

Coleg amaethyddol. Trip i Seland Newydd. Adra. A dal ati. Treulio oes gyfan yn gwisgo mymryn mwy ar y llwybr fel bod y nesa yn ei chael gymaint â hynny'n anoddach gadael.

Tybad.

Mae mwynhad a chysur y cyfarwydd waeth pa mor flinderus yn debyg iawn yn enwedig yng ngolau lamp gefn nos mewn sied a honno'n oer.

Mae hi'n dal yn gynnar, mor gynnar nes bod yr anifeiliaid yn gwybod nad oes fawr o neb o gwmpas. Dyma oriau mân yr adar a'r cwningod a cheirw. Rhwng gwawr ac amser mynd i'r gwaith cânt feddwl fod y byd yn eu perchnogaeth nhw unwaith eto. Cawn Ninnau rhyw flas ar yr hen fyd.

Caiff rhai fel yr Hen Ŵr droedio'r tir diarth hwn lle mae'r golau heb fagu'i nerth a chysgodion yn feddalach. Fel y cwningod mae'r gwlith yn llusgo'i draed, yn y golau llwyd mae'r cae yn arian byw a phob gwelltyn a darn o we pry cop i'w weld. Welodd yr Hen Ŵr fawr o emwaith erioed – modrwy briodas a bocs bach o bethau ei fam, ei nain, a'i hen nain. Neu dim ond mewn ffilmiau ac ar y rhaglen hen bethau ar nos Sul ond dychmyga pob gemydd yn ei ddagrau yn ei weithdy wrth geisio cael mwclisau a modrwyau hanner cyn odidoced â dafn o ddŵr ar ddarn o we ar eithinen wedi'i cholbio gan wyntoedd degawdau.

Ond weithiau wrth droedio tir diarth caiff rhywun ei ddal.

Dylai fod wedi dod â gwn gydag o. Mewn cwpwrdd dan glo o dan y grisiau mae dryll. Dryll du sy'n gallu gwneud diawl o glec neu sibrwd yn ddel weithiau. Dryll sydd fel darn o dywyllwch y twll dan grisiau.

Fe ddylai o fod wedi dod â gwn gydag o am fod y Llwynog ar y clawdd terfyn. Mae'n rhaid nad ydi'r Llwynog wedi ei weld o neu fe fyddai wedi cymryd y goes. Ond sbio mae o, sbio tuag at yr Hen Ŵr cyn codi'n araf a diflannu. A'r Hen Ŵr yn teimlo mai fo oedd wedi tresmasu.

*

Doedd o ddim wedi adnabod yr un yn yr arch. Dyna oedd natur y byd. Doedd o prin yn nabod y bobl hynny a fagwyd yn y tŷ ganddo. Roedd y dyn hwn nad oedd wedi cyrraedd – cynnar oedd hi eto er bod y Capel wedi llenwi'n araf deg o'r cefn – yn rhan o'r un gymuned. Yn ddaearyddol ac am mai ffermio oedd ei bethau o hefyd, un tro.

Cenhedlaeth wahanol ond yr un ddealltwriaeth. Codai law a sgwrs, bu'n weithgar. Daeth ag un o'r hogiau yn ôl o'r pentref un noson am ei fod o fymryn sobrach. Sleifio i'r gwely wedyn heb i Mam glywed, a'r Hen Ŵr yn cymryd arno beidio sylwi amser brecwast bore wedyn.

Agor drws y Capel wnaeth yr Hen Ŵr; cafodd alwad gan Dic y trefnwr angladdau, ond penderfynodd aros – yn y cefn. Erbyn iddo gyrraedd adref byddai'n amser cychwyn yn ôl ond gadawodd y Capel i'r galarwyr droeon cyn heddiw.

Er bod y glaw mawr wedi cilio gadawodd rhyw bowdwr gwlyb ar ei ôl ac roedd pawb a ddôi i fewn yn sgleinio gan leithder. Stemiai ambell un hyd yn oed.

Daw criw ifanc i mewn, un wedi bod yn smygu ond

heb wneud hynny o flaen y Capel chwaith chware teg,
un arall ar y blaen mewn côt laes a'i ymbarél o'n gadael
diferion tywyll ar bren y llawr. Mae golwg ddifrifol
ar y criw ac o wrando dealla'r Hen Ŵr mai ffrindiau
coleg un o'r merched ydyn nhw. Maen nhw'n sgwrsio,
yn estyn ffonau bob hyn a hyn ac yn mynd â lle eraill
sy'n sefyll y tu allan. Pobol sydd efallai gyda mwy o
hawl ar y seti. Ond tydi'r Hen Ŵr ddim dicach am
hynny, maen nhw yma ar bnawn Sadwrn yn y glaw
mewn siwtiau a chotiau brynwyd flynyddoedd yn ôl
ond sy'n ffitio o hyd, fwy neu lai.

Chafodd y dyn hwnnw oedd yn cael ei gario – neu
ei bowlio – i'r Capel gan gyfeillion, cymdogion a
theulu ddim byw yn hir. Y funud yma rŵan wrth i'r
gweinidog roi trefn ar ei bapur eistedda'i wraig a'i
blant sy'n dal yn blant o ran eu golwg i'r Hen Ŵr yn
y rhes flaen.

Teimla'r Hen Ŵr yn chwithig. Paratoa yn ei feddwl
ryw frawddeg yn cyfosod ieuenctid y sawl sy yn yr
arch a'i rychau yntau. Ond gŵyr nad yw pethau'n deg
a bod rhaid plygu i'r drefn.

Eto, ifanc oedd o.

Yma yn y sêt gefn rhwng gwraig sy'n perthyn o bell
i'r ymadawedig ac un o'r bobl hynny sy'n mynd i

gynebryngau fel y bydd rhai yn mynd i ffair y daw yr Hen Ŵr i nabod y dyn fuodd farw.

Yn y 'Ti'n cofio . . . ?' ymysg y rhai ifanc o'i flaen.

Ti'n cofio fo'n dod draw i helpu ni symud dodrafn?

Ti'n cofio ca'l lifft yn ôl ganddo fo am dri o gloch y bora yn y landrofyr? A hwnnw'n cornelu was bach!

Ti'n cofio ni'n ca'l cinio dy' Sul efo nhw?

Ti'n cofio mor falch oedd o ohoni hi?

Yn y teyrngedau gan fwy o bobl na'r arfer – y rheiny a lenwodd gonglau ei fywyd a'u lliwio i bawb, cwyd rhai geiriau fel gloÿnnod byw i daro'n erbyn y ffenestri.

Addfwyn. Ffraeth. Cariadus.

Y math o eiriau mae pob tad yn gobeithio'u gadael ar ei ôl.

Yn y cerddi y buodd o'n eu hysgrifennu, rhai digri nad oedd y math o gerddi a fyddai ar y werles neu mewn llyfrau ond oedd yn llawn gwell o ran hynny. Cerddi oedd wedi eu siapio i glustiau penodol ac i ddiddanu yn hytrach nag at greu gyrfa.

Cerddi y medrai rhywun weld winc ynddyn nhw.

Yn yr atgofion sy'n llifo rhwng pobl wrth fynd at lan y bedd, yn sgleinio fel y dŵr glaw ar fonat y dractor sydd wedi ei gario fo at y Capel.

Dysg yr Hen Ŵr fod y dyn hwn yn un a godai chwerthin yn y mart, yn un oedd yn barod i gynnig ei gymorth er ei fod o'n wael, un oedd wedi bod yn dda wrth y Ffermwyr Ifanc – wedi bod yn dda wrth bawb. A'i fod o – heb arlliw o or-ganmol pobol wedi marw – wedi bod yn ddyn da. Dysg yr Hen Ŵr y byddai wedi lecio ei adnabod ynghynt.

Ddowch chi i'r te?

Etyb y daw, a chynnig gwên fach.

Wnaiff o ddim. Gŵyr hithau hynny ond roedd yn rhaid iddi gynnig, ac yntau dderbyn.

Erys wrth y tân nwy nes i'r hen bobl adael i gyd. Pob un am sicrhau eu bod nhw'n ffarwelio â'i gilydd yn iawn, rhag ofn.

Mae'n mynd rownd y Capel i weld oes rhywbeth wedi disgyn o boced rhywun.

Casgla'r taflenni a adawyd ar ôl. Edrycha'r dyn sydd bellach yn y fynwent arno o ddegawdau'n ôl oddi ar y cloriau. Meddylia'r Hen Ŵr ddweud rhywbeth, a metha.

Mae'n cloi, mae pridd o'r fynwent ar y teils o flaen y Capel ac am y lôn fel hoel ffagio gwartheg.

Mae'r Hen Ŵr y troi yn y lôn ac yn sbio ar y fynwent. Am ennyd mae'r cerrig beddi yn edrych fel rhesi ar resi o feini hirion yn ei wylio. Yna maen nhw'n ôl fel yr oedden nhw cynt. Daw awel fain o rywle.

Aiff yn ei ôl am y tŷ a'i goesau'n llosgi wrth i'r cysgodion hel.

Mae o'n ôl yn y Capel a newydd ddiffodd y gwres-ogydd nwy ac yn sefyll o'i flaen yn teimlo'r gwres yn edwino'n erbyn cefn ei drowsus. Yn ôl ei arfer pan fydd y gwres wedi darfod bydd yn gadael gan deimlo ambell i fflach o g'nesrwydd yn erbyn cefn ei goesau wrth symud. Yn dibynnu ar y gwynt gall hwnnw bara nes iddo gau'r giât a cherdded y grisiau o flaen y Capel.

Ond breuddwyd ydi hon felly pwy a ŵyr be fydd yn digwydd.

Mae'r waliau yn wlypach na'r arfer a phennau pin o ddŵr yn sgleinio ar y paent melynwyn yn yr haul. Ond mae'r dŵr yn dal i gronni nes bod y waliau'n hel diferion mwy a'r rheiny'n dechrau llifo. Mae'r waliau yn beichio crio a'r dagrau'n powlio ar hyd y paent nes tywyllu'r llawr pren a'i gleisio.

Rhaid bod y Capel wedi sylwi ar be ddigwyddodd iddo fo.

Rheda'r dŵr ar hyd y ffenestri hefyd gan naddu'r ager. Drwyddyn nhw mae cysgodion cerrig yn chwifio fel eu bod nhw o dan lyn.

Gŵyr na fydd y drysau'n agor ac y bydd y dŵr yn codi, ac mae o. Hallt fel dagrau ond mae blas hen ddalennau, cwyr dodrefn, sebon dillad gorau a the festri arno hefyd.

Coda'r dŵr.

Mae'r Capel, ac yntau, yn llenwi.

> ‘ Glanha fi ag isop, a mi a lanheir : golch fi, a byddaf wynnach na'r eira. ’

*

Does yna ddim bron mor braf â gollwng gwartheg a gafodd eu cau mewn cwt at flewyn newydd. Wrth iddo lacio'r rhaffan am y giât mae o'n gallu ei deimlo fo. Rhyw egni gwyrdd yn eu cyhyrau sy'n dod i'r anifeiliaid bob gwanwyn ac yn hwnnw rhyw ysfa i fod ac i redeg ac i brofi.

Llusga'r giât yn agored gan adael yr adwy yn glir.

Digon cyndyn ydi'r giwad lygatddu i weld. Gallai fynd i'w mysg i annog rhyw fymryn ond mae hynny'n beryg, gall dyn gael ei sathru neu ei daflu ar ei hyd a heddiw mae ganddo amser beth bynnag. Thâl hi ddim i frysio heddiw.

Efallai mai gweld yr ehangder, neu glywed oglau gwelltglas sy'n tynnu'r cyntaf ond wrth i un fynd mae'r gweddill yn ffrwydro yn eu blaenau.

Ymlaen â nhw wedyn yn dwrw traed i gyd. Yn carlamu gyda'u cynffonnau i fyny gan wneud rhyw sŵn sydd ddim yn frefu ond yn sŵn y mae'r Hen Ŵr yn ei gymryd am hapusrwydd.

Maen nhw'n rhedeg yn un criw, yn ystwytho a phrofi'r aer, yn rhwbio yn y gwlith ac am y munudau hyn mae'r Hen Ŵr bron yn siŵr eu bod nhw'n anghofio am fodolaeth clawdd a weiren bigog. A hynny am eu bod nhw'n rhydd.

Wrth edrych ar y cynffonnau'n chwifio a'r pennau'n chwipio meddylia'r Hen Ŵr am y gair

GORFOLEDD

Caiff yntau ddarn bach o'r gorfoledd hwnnw wrth edrych arnyn nhw.

Ymhen amser fe wnân nhw lenwi, bydd y caglau'n disgyn ymaith a daw sglein i'w blew wrth i holl wyrddni'r gwanwyn weithio'i ffordd yn ddwfn i mewn iddyn nhw.

Mae yna ryw orfoledd yn hynny hefyd, i'r Hen Ŵr beth bynnag.

Heno am ddim rheswm o gwbl mae'r Hen Ŵr yn eistedd mewn cadair wrth y delifision, cadair sy'n wynebu oddi wrthi. Cawsai olwg ar y papur ac ar ei draed yna ar y pared o'i flaen; y soffa, a'r biano a rhyngddynt y ffenest sy'n edrych allan. Allan dros yr ardd. Dros y coed a heibio'r rheiny y caeau, cloddiau a thu hwnt i bob dim wedyn y môr tew, gorweddog.

Daw'r gath heibio a gorwedd yn bwdlyd o flaen y stôf, a chrafu'i chlust gan godi cawodydd o flew i chwarae yng ngolau llac y machlud.

Caiff yr Hen Ŵr bendwmpian fel hyn nes bydd hi'n amser mynd am y cae sgwâr. Caiff droi y dydd yn ei ben dow dow.

Yna, deffra'r Hen Ŵr drwyddo, teimla ar bigau'r drain fel bod pob gewyn yn ei gorff wedi ei ymestyn hyd at dorri. Caiff ei lenwi, fel bylb neu werles, gan drydan. Ni all symud er y byddai ei gorff yn rhoi unrhyw beth am gael gwneud. Pellha sŵn tician y cloc a chrafu'r gath. Teimla'r Hen Ŵr fel ei fod mewn twnnel; o'i flaen y mae'r ffenest yn agor yn fawr, fawr a golau'r machlud yn ei llenwi.

Mae sŵn y tŷ ymhell ac fel petai o'n cyrraedd yr Hen Ŵr drwy lyn neu lwyth o wadin. Ond daw sŵn y tu allan yn feinach ac ymysg sŵn y mwyalchod a'r dail clyw sŵn traed. Dwy droed, mae'n sicr o hynny. Dwy droed yn dod yn nes ar hyd y cowt o flaen y tŷ, heibio'r beudái, heibio'r hocsiad ddŵr a giât yr ardd, heibio'r drws ffrynt. Yna maen nhw'n oedi ac yn troi. Troi at y ffenest.

Ac wrth i'r camau ddod yn nes llenwa'r ffenest olwg yr Hen Ŵr fel sgrin mewn pictiwrs tywyll. Wrth i'r camau glosio at y ffenest daw dwy glust fain i'r golwg, yna talcen coch a llygaid oren. Wrth i'r camau ddod o fewn dim i wal y tŷ mae'n gweld ffroen a thrwyn du uwchben dannedd melyn a gwddw gwyn.

Llwynog.

Tro'r llygaid ydi hi i lenwi golwg yr Hen Ŵr erbyn hyn wrth iddynt droi yn sgrin bictiwrs bob un, neu'n haul, neu'n lleuad. Ydi'r Llwynog yn gwenu? Neu ai siâp naturiol ei wyneb o sy'n gwneud iddo edrych felly?

Ydi hi'n wên sbeitlyd? Fygythiol? Gyfeillgar? Annwyl?

I'r Hen Ŵr sydd wedi ei hoelio i'r gadair yn sowndiach na'r un weiren wrth stanc mae hi'n wên sydd yn hynny i gyd ac yn fwy.

Mae'r ffenest yn uwch na'r un llwynog. Byddai'r Hen Ŵr yn gorfod ymestyn hyd flaenau'i draed i allu gweld i mewn drwyddi o'r tu allan. Hyd yn oed pe byddai'r Llwynog ar ei goesau ôl ddylai fod dim modd iddo allu sefyll ac edrych i mewn fel hyn. Edrych i lawr ar yr Hen Ŵr yn oer ac yn chwys diferyd yn ei gadair.

Erys y Llwynog gan weld pob dim yn y stafell a'r

Hen Ŵr.

Yna, mae'r Llwynog yn anadlu drwy'r dannedd melyn gan orchuddio'r ffenest gydag ager ei anadl ac erbyn i hwnnw glirio mae wedi mynd ond mae'r Hen Ŵr yn sownd o hyd.

Daw yn ôl i'w gorff yn araf i ddechrau ond yna'n sydyn gan godi ar ei draed heb feddwl bron a gweiddi. Ar y mat o flaen y stôf mae'r gath gyda'i chynffon i fyny a'i chlustiau am yn ôl. Mae'r Hen Ŵr yn sadio rhyw fymryn cyn mynd am y drws ffrynt. O'i agor does dim golwg o ddim, dim ond yr ardd a'r coed falau yn ysgwyd yn ddiog yn y gwynt fel petaen nhw ar gychwyn i rywle a'r mwyalchod yn twtian. Wrth gwrs mai felly mae hi. Wrth gwrs.

✳

'Na i farw'n Nhad?

Meddai hogyn bach mewn gwely wrth siâp ei dad yn nhywyllwch drws yn erbyn golau'r landin.

'Na i farw?

Ac mae'r hogyn bach yn methu'n glir â dallt pam na fedr ei dad ateb cwestiwn mor syml ac mor fychan.

✳

Mae hi'n dywyll a does yna ddim i'w wneud. Dylai'r Hen Ŵr fynd i'w wely. Mae cwsg yn cosi ei lygaid, yn llenwi ei gnawd gyda phlwm ond ar gadair mae o a'r delifision yn mynd. Efallai fod cysgu'n ei daro fel cael madael ar amser, a phob gronyn bellach yn werthfawr. Pan oedd o'n ifanc bu'n gwasgaru'r gronynnau hynny'n hael a heb hidio fel rhywun yn bwydo ieir ond bellach mae o'n cythru amdanyn nhw ar ei liniau mewn baw a phlu.

Hen ffilm sydd ar y delifision. Ffilm ddu a gwyn. Y math hwnnw o ddu a gwyn lle mae'r bobl yn ddelach nag y bydden nhw mewn lliw. Tharodd o mo'r golau wrth fynd heibio felly mae golau'r sgrin yn llifo o wynebau'r bobl ddel ar draws y llawr at y pared gan droi pob dim yn wyn, a du.

Mae rhywbeth am y ffilmiau hyn sy'n fwy eglur ym meddwl yr Hen Ŵr. Y llun, y sain, y moesau.

Rhamant ydi prif nodwedd y ffilm. Mae dyn – gallai fod yn Humphrey Bogart, Clark Gable neu Cary Grant a dynes a allai fod yn Greta Garbo, Ingrid Bergman neu Ava Gardner neu yr un o'r uchod yn caru ei gilydd. Yr unig sicrwydd sydd yw eu bod nhw yn berffaith ar y sgrin ac yn farw bellach ac y gallai rhywun yn hawdd iawn gamgymryd croen gwyn am asgwrn a hwythau'n gysglyd.

Tra pery'r ffilm mae'r cariad yn ddiffuant ac yn wir, mae o'n bodoli heb ewinedd traed a chwyrnu a ffraeo hyd at weiddi.

Dychmygodd ei hun yn gowboi, unwaith.

Bu'n actio'r rhan gyda choes brwsh a gwn tatws. Lladdodd ugeiniau o Indiaid Cochion dychmygol cyn cael ar ddeall eu bod nhw'n bobl hefyd.

Castiodd ei hun mewn sawl rôl cyn iddo weld pethau felly'n wirion.

Meddylia sut y byddai ei fywyd o mewn ffilm, sut y byddai'n edrych a beth fyddai'n ei ddweud.

PYLU FEWN:

GOLYGFA OLAF
MAE'R HEN ŴR YN SEFYLL YN RHYWLE:
PLATFFORM TRÊN EFALLAI NEU DŶ
CHWAETHUS AMERICANAIDD, AR BEN
CLOGWYN WRTH IDDI FACHLUD NEU AR
STRYD YN Y GLAW. MAE'N GWISGO SIWT.
YMDDENGYS EI WRAIG, MAE HI'N GWENU

ARNO. DYLAI'R DDAU FOD YN HAPUS, OS
OES MODD.

HEN ŴR
Hello.

GWRAIG
Helo.

HEN ŴR
Of all the gin joints in all the towns in all the
world, she walks into mine.

GWRAIG
Be?

HEN ŴR
Frankly, my dear, I don't give a damn.

GWRAIG
Fedri di siarad yn gall?

HEN ŴR
Sori, dwi . . .

GWRAIG
. . . y?
HEN ŴR
. . . ma . . .

(Yn estyn am sigarét er nad yw'n ysmygu)

GWRAIG
... ti ...

HEN ŴR
... ma hi'n ...

GWRAIG
... m? ...

HEN ŴR
... y ...

SFX: CRESCENDO CERDDORIAETH
RAMANTUS.

GWRAIG
Fedrist ti siarad rioed?

HEN ŴR
Ddim fel'ma ... ma' golwg arna'i ... do'n
i'm ...

MAE'R WRAIG YN ESTYN FEL EI BOD
AM GOFLEIDIO'R HEN ŴR.

GWRAIG
Ty'd

HEN ŴR
Nace, o'dd gen i ...

GWRAIG
Be oedd i fod i ddigwydd, yn dy ben di?

HEN ŴR
Ddim hyn, na, feddylish i rioed na fel'ma
fasa hi.

SFX: SŴN TRÊN NEU DONNAU AR
GLOGWYN NEU LAW AR Y PAFIN.

Y WRAIG YN GADAEL. YR HEN ŴR
AR ÔL.

PYLU: MAE'R SGRIPT YN GOFYN
AM DDATGANIAD O GARIAD A
DIWEDDGLO HAPUS.

DIWEDD

Mae'r Hen Ŵr yn ei gadair a'r gorffennol wedi ei
wthio i ffrâm o blastig unwaith eto.

Here's looking at you, kid.

Ac mae llygaid y bobol ddel yn rhythu fel tyllau
penglogau adar. Diffodda'r delifision, a gadael i'r du
ennill.

*

Wrth weithio mae'r Hen Ŵr yn meddwl. Mae ei feddwl yn troi drwy'r adeg wrth iddo weithio; does yna fawr ddim gwell na gadael i ddwylo wneud rhywbeth a gadael i'r meddwl fynd. Fel injan mae troi meddwl yn y modd hwnnw yn cadw pethau'n lân, yn iro ac yn atal nythod adar a gwe pry cop rhag magu gafael. Mae gwneud hynny hefyd yn golygu nad oes yna gymaint o le i'r meddwl arall. Hwnnw sy'n arwain rhywun ar gyfeiliorn ac yn poetsio pethau braidd. Ond mae cadw'n brysur yn help o ran hynny, fel arfar.

Ond nid meddwl felly ydi'r meddwl hwn chwaith er bod cysylltiad, rhyw jaen rhwng y ddau beth efallai. Os troi mae'r injan fel arfer, pan ddaw'r meddwl hwn heibio mae o fel agor injan yn iawn. Rhoi dipyn o bôc iddi hi, fel y byddai rhai o'r hogiau'n dweud ers talwm, troed lawr, gêr uchel, hai yn lle lô. A thrwy feddwl felly y daw y mwg duach na'r arfer a'r gwreichion.

Fel hyn mae o'n mynd ...

Mae rhywun yn gweithio ar hyd ei oes. Yn hel cerrig, cau bylchau, codi weirs. Yn carthu a phlannu a charthu a phlannu eto. Yn deffro'n gynnar a pheidio cysgu. Rhynnu a chwysu am yn ail. Yn gwneud pethau nad ydi o am eu gwneud ac yn methu gwneud yr hyn yr hoffai. Yn trwsio ac yn poetsio a chwerthin a chrio ac yn hel pethau brau sy'n siŵr o chwalu'n ddarnau mân. Ceisia fagu defaid a gwartheg a phlant am yn ail a chadw'r blaidd o'r drws a chadw pawb yn hapus. Cadw etifeddiaeth i fynd yn ei blaen nid am fod rhywun eisiau, nid fod o ddim eisiau chwaith ond am mai dyna sydd rhaid am mai felly mae hi. Disgwyl bod rhaid dioddef fel y rheiny o'i flaen o yn ei gymell i wneud yr un peth, i ddilyn ôl eu traed nhw a cherdded ar yr un gwydr. Peintio a thrwsio a phatsio. A godro a chynaeafu a chwalu gwair. Hau a medi ym mhob dim a'r rhod yn troi rowndyrîl fel olwyn tractor gan wasgu popeth yn seitan. Yn seitan ulw.

A phan ddaw i'r tŷ a thynnu'i weling-tons am y tro olaf be sydd ganddo fo? Dim ond dillad ac oglau cachu arnyn nhw ar ei gefn, cricymalau a llond pen o hyn. Fe gaiff garreg fedd ac arni'r geiriau 'Ymdrechodd ymdrech deg'. Carreg y bydd blodau o'i blaen ar ôl iddi gael ei gosod wedi i'r ddaear setlo, yna bob Nadolig, Pasg, Diolchgarwch a phen-blwydd, yna pan fydd rhywun yn digwydd mynd heibio.

Ac mae rhywun yn trio, yn trio'i orau ond be fedar rhywun ei wneud os nad ydi hynny'n ddigon da?

Mae'r meddyliau hyn yn llenwi pen yr Hen Ŵr fel slyri. Nid fo ydi'r unig un, aiff sawl un ati i hel biswail yn yr un modd a hynny am fod yna ryw gysur rhyfedd wrth wneud ar adegau. Fel gosod pob dim yn ei le yn daclus.

Rhaid fod yna ryw groesffordd neu dro yn y lôn y bu iddo'i fethu ond roedd hi braidd yn hwyr i droi'n ôl.

Ac eto. Mae o'n flin. Tasa fo haws. Tasa fo haws a gwneud dim 'di mynd.

Wenoliaid! Yn sgubo dros y caeau yna'n codi'n wyllt yn erbyn yr awyr las gan ddiflannu bron. Gwena'r Hen Ŵr arnyn nhw a diolch am eu cwmpeini 'leni eto.

Nytha'r gwn yn ei freichiau, yn swatio yn ei gesail fel plentyn. Dychryn brain ydi'r syniad, hel y crafiadau du o'r awyr rhag eu bod nhw'n pigo'r defaid gwyn yn goch.

Ond wrth wneud hynny a chwalu'r awyr o'i gwmpas yn ddarnau mân mae'n ei gweld hi'n codi o'r cae tatws. Colomen. Colomen yn codi a'i llond hi o eginau a dail meddal a'r pethau tyner, gwerthfawr hynny oedd wedi ymwthio o'r pridd sydd bellach yn dechrau cynhesu.

Dyna pam ei bod hi mor araf.

Mae cetrisen heb ei thanio yn y gwn o hyd.

Un glec. Llond llaw o blu. A'r golomen yn disgyn yn lletchwith o'r awyr yn ôl at y pridd.

Tydi hi ddim yn marw'n syth. Teimla ei hun yn methu – yn disgyn a glanio a gwres y pridd oddi tani ac oerni'r cysgod uwch ei phen. Oerni sy'n magu a lledu er nad ydi hi'r amser iawn i hynny ddigwydd eto. Efallai fod cawod ar ei ffordd. Mae'r awyr yn y lle anghywir. Efallai ei bod . . .

Aiff yr Hen Ŵr i chwilio amdani.

Daw o hyd iddi ynghanol chwyn, ar ei chefn a'i dwy adain ar led. A'r gwaed yn goch ar y corblu gwyn. Yn llachar ond yn duo'n ara deg. Trawodd yr ergyd ei brest yn hytrach na'i phen a gadael twll herciog i boeri ei lanast gwaed at y byd. O'i bwyta felly bydd yn rhaid bod yn ofalus a phoeri metel i dincial ar blât.

Dydi hi'n fawr o beth i gyd.

Digon am bryd. Byddai ei nain yn rhostio colomennod nes y byddai'n anodd gwahaniaethu rhwng haels a chig y frest – a'r croen yn cochi, yn crimpio'n braf a mynd yr un lliw â grefi. Roedd hi'n sgut am gloman, hi ddysgodd yr Hen Ŵr sut oedd pluo un a thrin un. Heno bydd ei fysedd yn drybola o jiblwns, caiff yr hen gath wledd ar y rheiny a bydd yntau yn clywed oglau crimpio wrth dyrchu am ei hen blât. Erbyn ei choginio fydd yna ddim ar ôl ohoni.

Prin ei bod hi werth saethu, cerdded yma a chyrcydu drosti'n pensynnu.

Cwyd y corff llipa a gweld fod y pen bach yn rowlio'n llac. Lle bu'r corff mae'r pridd sychedig yn yfed y gwaed gan droi yn lliw tebyg i refi.

Penderfyna wneud tro o'r hen le cyn mynd am y tŷ. Does yna ddim trefn i'r cyrch hwn. Felly mae o'n crwydro. Cowboi papur yn ei gwman a'i ben yn troi o hyd.

Dilyna'i drwyn a rhyw syniad yn ei ben.

Mae'n gwybod y bydd rhywbeth yn digwydd.

Aiff drwy Cae Dan Lôn a Chae Dan Rar cyn ei weld.

Dacw Fo. Ar docyn cerrig gefn dydd golau unwaith eto. Yn bowld o goch ar ben olion hen gorlan. Y tu ôl iddo mae coeden ysgaw a rhedyn sydd bron cyn goched ag o. O'i gwmpas mae eginau newydd yn taflu a bwtsias y gog yn pendilio'n drist.

Mae'r Llwynog yn troi ac yn gweld yr Hen Ŵr. Agora ei geg a dylyfu gên.

Gwll yr Hen Ŵr y golomen ar lawr.

Coda'r gwn a'i sythu, edrycha ar hyd y trwyn haearn a gweld fod y Llwynog ac yntau yn syllu i fyw llygaid ei gilydd. Mae'r Llwynog yn gwybod ei fod mewn perygl, mae'n rhaid ei fod. Tydi'r un llwynog – tydi Hwn – ddim yn wirion. Eto dim ond edrych wna o hyd. Y llygaid oren sy'n deall rhywbeth.

Mae'r Hen Ŵr yn crynu, mae ei wynt o'n clecian yn ei wddf a'i galon yn dyrnu mynd yng nghaets ei frest.

Dyma ni felly.

Profa'r glicied. Teimla holl rym egni cemegol y cetris ar flaen ei fys.

Mae'r Llwynog yn sbio.

Teimla'r Hen Ŵr nad ydi o ar ben ei hun; o'i gwmpas ac ynddo mae sawl Hen Ŵr arall. Rhai na fyddai'n meddwl saethu'r Llwynog, rhai a fyddai wedi gwneud yn barod a phob un rhwng y rheiny. Pob un hefo'i benderfyniad, pob un yn wahanol a'r un peth. Yn y miloedd yma pa un ydi'r Hen Ŵr?

Ydi'r Llwynog yn gwenu eto?

Sylla'r ddau yn hir.

Clec.

A'r sŵn yn chwalu'r byd yn deilchion. Aiff yr Hen Ddynion i gyd ar chwâl cyn uno'n ôl.

Mae'r Hen Ŵr yn sadio cyn tynnu'r cetris a rhoi rhai newydd yn eu lle. Mae ei ddwylo'n crynu. Aiff at y corff.

Does dim golwg ohono.

Dim byd ond eginau newydd a'r bwtsias y gog yn ysgwyd eu pennau.

Gallai weiddi, neu ddifaru neu holi a ydi o'n hanner call. Ond wrth i'w galon arafu mae'r Hen Ŵr yn pwyllo. Gallai'r Llwynog fod wedi ei glwyfo a llusgo'i hun i gongl yn rhywle i farw. Does dim yn hynod mewn diflaniad anifail sydd wedi ei saethu. Efallai y bu iddo'i fethu. Mae'n rhaid mai dyna sydd. Mae'n rhaid.

Ond teimla'r Hen Ŵr iddo golli.

Aiff yn ôl am y tŷ, nid yw'n bwyta'r golomen ond yn hytrach yn ei chladdu.

Heda'r brain o'r coed gerllaw.

Tynna'r adlais hwn at ei derfyn wrth i dro blwyddyn ddyfod yn gyflawn. Efallai y daw hanes yr Hen Ŵr i ben, efallai y parha a dim ond ein calonnau a'i ceidw. Efallai nad yw'r Hen Ŵr yn bodoli ac nad ydyw'n ddim mwy na syniad neu gyfuniad o eraill, eu hanesion a'u geiriau yn ymgasglu megis haid o wenyn. Efallai na wnaethpwyd dim gennym ond creu hanes o'r adleisiau hynny sydd ynom a wanycha gyda phob llefariad.

Efallai nad oes ots yr un ffordd neu'r llall.

I Ni nid yw blwyddyn yn ddim yn nhreigl a thro y byd, ac mae'n llai i'r Hen Ŵr hefyd bellach. Wrth hel blynyddoedd collir eu trwch a'u blas. Serch hynny waeth faint ohonyn nhw aiff heibio – un, deg, cant neu filoedd nes byddont megis blew Medi yn anghymesur o denau ond yn pefrio o hyd – gwrandawn. Rhaid wrth wrando, rhaid wrth brofi. Heb wrandawiad, heb dystiad, ni ellir datgan fod dim yn digwydd.

Haf.

Ymestynnodd y dyddiau hyd eu gallu, yn gath ar fat mewn darn o olau haul.

*

Mae'r Hen Ŵr yn ei ddillad gorau, y rheiny sydd yn y cwpwrdd ac oglau cadw arnynt. Yn y Capel mae o ond fod y Capel y tu allan hefyd a choed a gwrychoedd a'r awyr y tu fewn iddo ac mae derwen lle bu'r pulpud a cherrig rhwng y seddi.

Mae arch wedi ei phlethu o wiail tua'r blaen a galarwyr o'i chwmpas. Brain tyddyn, piod, ysgyfarnog, jac dos, adar to a moch daear. Edrycha pob un ar yr arch, yna edrychant ar yr Hen Ŵr wrth iddo dynnu'i gap a chlosio ati.

Aiff yr ysgyfarnog at y goeden i arwain y gwasanaeth.

Does dim caead ar yr arch ac ynddi mae'r Llwynog a'i lygaid ynghau. Gwnaiff y galarwyr le i'r Hen Ŵr ac mae'n syllu ar gorff llonydd y Llwynog. Yn edrych wrth i'r llygaid agor fel bod y Llwynog hefyd yn syllu'n fud ond ei fod o'n gweld dim ond yr awyr.

Dyro'r Hen Ŵr ei law ar ochr yr arch.

Mae'r gwiail yn llyfn ac yn oer fel croen. Teimla y dylai ddweud rhywbeth ond caiff ei dagu gan ei eiriau.

Daw llaw o'r arch i ddal ei un o, mae hi'n edrych fel llaw ond yn teimlo fel pawen.

Dechreua'r galarwyr gymryd eu seddi wrth i'r Hen Ŵr ei weld ei hun yn yr arch a blodau o'i gwmpas. Briallu. Bwtsias y gog a blodau neidr.

Tro'r Hen Ŵr ydi hi i syllu ar yr awyr ac o gongl ei lygaid er ei fod yn methu symud gwêl y Llwynog yn sefyll yn ei siwt orau. O gwmpas ei arch mae'r anif-eiliaid a'i deulu sy'n beichio crio. Daw'r ysgyfarnog draw ac mae'r Llwynog ac yntau'n codi'r caead ac yn ei osod.

Mae'r Hen Ŵr eisiau sgrechian, eisiau symud a strancio ond fedr o ddim. Ni all wneud dim. Dim ond syllu ar y caead a gwrando ar yr hoelio, y symud a'r lleisiau pell ac yna'r cawodydd cleiog.

    ‘ Canys pridd wyt ti, ac i'r pridd y dychweli. ’

*

Dewch i dre efo fi, Dad.

meddai'r Hogyn.

Dewch i grwydro lle sydd wedi mynd â'i ben iddo, i sylwi ar lefydd gweigion a chachu ci. Mi gawn ni banad, neu damad o swpar. Mae yna le rŵan lle cewch chi bryd bwyd a diod hefo fo am 'chydig bunnoedd, tydi o ddim yn fwyd go iawn ond mae o'n rhad.

Er mwyn i'r Hogyn gael teimlo ei fod o'n helpu mae'r Hen Ŵr yn cytuno. Caiff wneud mymryn o neges hefyd ac efallai gweld rhywrai y bu iddo'u hadnabod unwaith. Mae'r dref yn llwyd ac yn prysur olchi'i hun fel staen baw i'r gwteri ond mae yna bethau rhad i'w cael mewn siopau elusen a rhoddodd y Cyngor flodau mewn potiau yma ac acw. Mae'r adeiladau'n llwyd, eu ffenestri'n llwyd a'r bobl hynny sy'n crwydro rhyngddynt yn llwyd a golwg fel dillad wedi cael eu golchi ormod o weithiau arnyn nhw.

Mae chwith gweld yr hen le.

Eto, rhyw dwll tin o le fuodd o 'rioed cofia'r Hen Ŵr. Lle rhy ddiog i drio cadw gafael ar bobl a doedd syndod felly eu bod nhw wedi mynd i lefydd eraill. Ac roedd mwy o gachu cŵn yno erstalwm, a hwnnw'n wyn.

Mae'r bwyd rhad yn canmol fod canran benodol ohono'n lleol – mae o fewn terfyn gwlad yn lleol bellach. Wyddai'r Hen Ŵr mo hynny.

Ar y ffordd adref mae'n gofyn i gael rhoi stop ar y moto wrth ymyl y fynwent. Nid yw'n gwybod pam ac nid yw'n gofyn a hoffai ei fab ddod gydag o.

Saif yr Hen Ŵr mewn stribyn o olau lampau car a'i gysgod ar garreg fedd. Dywed rywbeth yn ei ben a mynd yn ei ôl.

*

Mae'n braf a'r môr a'r awyr yn ffeirio glesni tywyllach am yn ail wrth i'r Hen Ŵr lanhau'r caeau yn y dractor bach a'r topar yn siffrwd y tu ôl iddo. Does ganddo ddewis am ran o'r daith o gwmpas y cae ond syllu ar y môr a theimlo'i dynfa. Nid llanw yn unig sy'n tynnu mewn môr – yn y dŵr hwnnw sydd â golwg braf arno weithiau mae rhywbeth arall.

Weithiau mae'n anodd gan yr Hen Ŵr amgyffred sut y gall plant chwarae a rhieni chwerthin ar lan y ffasiwn beth. Rhywbeth sydd bob hyn a hyn yr un lliw yn union â llafn cyllell. Rhywbeth sy'n aros, yn crafangio amdano ac eraill, ac sydd â'i donnau'n mynnu sibrwd.

Byddai rhai yn mynd i'r môr, yn hel cerrig fel plant wrth draeth ac yn cerdded ato fel hen ffrind. Daeth yr Hen Ŵr ddim am dro ar hyd lan môr am yn hir iawn, ac roedd hynny lawn gwell. Byddai yntau'n cael ei dynnu gan y tonnau, weithiau.

Llwydda i droi trwyn y dractor bach am y Mynydd a'i gefn ar y glas caled. Caiff adael i'r gwyrddni foddi unrhyw feddwl am donnau'n llyncu tan y tro nesaf iddo orfod troi eto.

*

Dim ond y gynfas isaf sydd ei hangen heno a'r ffenest yn agored led y pen i adael awel a sŵn mwyalchod yn stwyrian drwyddi.

Er hyn i gyd mae'r Hen Ŵr yn boeth, cyn boethed â'r cerrig gwastad ymysg yr eithin, mewn man na fedr atal ei feddwl rhag crwydro ato wrth golli'i afael ar ymwybyddiaeth.

Caiff ei hun ar y Mynydd eto. Heno mae'r gwres ag oglau gwair wedi'i ladd yn sgubo dros ei groen noeth wrth i'r gwynt sych sgubo'r grug o dan leuad fudur-oren. Oddi tano ar lawr gwlad mae'r siapiau yn cynaeafu yn ôl yr hen drefn unwaith eto. Gall eu gweld i gyd er ei fod mor bell.

O'i gwmpas mae tai crynion a'r llygaid yn sbio o hyd rhwng y craciau ond llygaid clên ydyn nhw at ei gilydd.

Ar y gwastadedd o'i flaen mae'r garreg fawr yn llonydd a waliau o'i chwmpas.

Mae'r waliau yn fyr ac yn hir. Yn uchder clun ac yn uwch na muriau Jericho. Wrth wthio'i ffordd drwy'r grug a'r eithin sy'n clecian ni theimla ddim. Nid yw ei gnawd yn cael ei gyffwrdd nes i'w droed daro carreg. Plyga i'w chodi a'i chael yn faint llaw iawn ac yn wynias, gan iddi lyncu'r haul. Rhaid ei bod wedi disgyn o'r wal. Mae'n ei gosod gyda 'chlop' wag yn ei lle a gweld bod dwsinau, degau, cannoedd o ddwylo eraill bob ochr iddo'n gwneud yr un peth a'r glec fach wrth i garreg gusanu carreg yn atseinio'n hir.

Mae bylchau yn y waliau o hyd.

Cwyd garreg arall ac mae'r dwylo'n gwneud yr un peth yn union a phob llaw yn gosod yr un pryd. A'r sŵn fel pe bai'r Mynydd ei hun yn symud. Mae'r Hen

Ŵr yn adnabod rhai o'r dwylo. Wrth osod un eto ymysg y don o ddwylo a cherrig mae o'n adnabod y rhai agosaf ato'n iawn ac mae pob llaw yn adnabod y gwaith a phob un yn bwrw iddi.

Yna, mae'r dwylo'n oedi. Fe wnaiff y wal y tro a thry'r lleuad i guddio'i hun gan adael i dduwch y Mynydd lyncu pob un dim.

Daw cnoc ar y drws. Dynes sydd yno, un yr oedd gan yr Hen Ŵr ryw adnabyddiaeth ohoni fel rhywun a ganai biano mewn eisteddfodau lleol. Roedd hithau yn ôl ei chyfarchiad ag adnabyddiaeth ohono yntau. Gadawyd ei char yn sgi-wiff yn adwy'r lôn a'i olau yn fflachio gan droi y cowt yn oren a du am yn ail. Meddylia'r Hen Ŵr am deigrod.

Dywed ei bod wedi pasio tarw ar y lôn a bod yn rhaid iddi fynd i noson goffi. Roedd y tarw meddai yn ddu. Edrycha'r Hen Ŵr o'i gwmpas a gweld fod y cloddiau a'r ffordd bron yr un lliw. Heb feddwl mae'n cychwyn ar hyd y lôn gan oedi i estyn peipen o'r hen dŷ llaeth. Rhywsut bydd darn tenau o blastig fel ffon yn gwneud byd o wahaniaeth wrth wynebu creadur llawer mwy nag o.

Ond mae pobl yn gwneud teirw o wartheg a bustych hefyd; efallai i'r gyfeilyddes gamgymryd a hithau'n tywyllu, a'i bod yn gyrru ar frys a heb gael ei magu ar fferm. Cymydog biau'r beth bynnag ydi o, mae'r Hen Ŵr yn eithaf sicr o hynny. Tydyn nhw ddim yn rhai i boeni'n ormodol am broblemau daearol, fel ffensys, a'r tyllau ynddyn nhw.

Aiff i fyny'r lôn; y tu ôl iddo mae lleuad goch yn bygwth codi tu ôl i dduwch craig y Mynydd.

Mae oglau baw gwartheg a gwellt wedi'i gleisio yn tystio fod rhywbeth ar grwydr. Clywa gar yn arafu a gweld golau un yn oedi ymhellach ar hyd y ffordd. Erbyn iddo'i gyrraedd mae'r gyrrwr yn hwylio i fynd. Gwelodd yntau darw, un mawr, a aeth i lawr y 'trac' acw wrth weld golau'r cerbyd. Diolcha'r Hen Ŵr iddo a chael gwybod y dylai ffermwyr wneud mwy i gadw eu hanifeiliaid yn y caeau a bod cael anifail anferthol a gwyllt ar ffordd gyhoeddus yn beryglus. Etyb na feddyliodd o erioed am hynny o'r blaen cyn diolch a gadael i'r gyrrwr ddweud eto ei fod yn hwyr i agor noson goffi wrth gerdded am y 'trac'.

Y ffordd i dŷ'r cymydog yw hon. Bydd yn ddigon efallai – a dyma'r car yn mynd ar wib o'r diwedd – i adael y creadur yma gan ei fod bellach ar dir ei berchennog. Ond does yna'm giât ar yr adwy i'w gau yno ac mae hi'n tywyllu a cheir yn mynd ar y lôn fwy nag y buon nhw; gallai rhywun gael ei ladd. Os tarw oedd o gallai fynd i gae at warteg na ddylai ymyrryd â nhw hefyd a chreu llanast. Mae yna rai pethau y mae cymdogion yn eu gwneud heb i neb orfod gofyn amdanynt. Y Cymwynasau. Dyma un ohonynt.

Sylwa fod darnau o'r cloddiau wedi disgyn a'r dorchan heb sychu. Clyw dwrw rhywbeth yn rhwbio pridd o'i flaen. Yna mae o'n ei weld o. Tarw. Dyna ni felly. Tarw sydd ar hyn o bryd yn crafu ei ben ar glawdd gan godi cymylau o lwch pridd a rhwygo cerrig a thalpiau o dywyrch ohono heb anhawster. Mae teirw yn gryf, maen nhw'n fawr ac maen nhw'n gyflym. Cofia'r Hen Ŵr gyngor ei dad – os ydi tarw ar fynd i rwla, g'na le iddo fo.

Mae hi'n anodd darllen creadur a hithau'n tywyllu fesul eiliad ond os ydi o'n malu cloddiau go brin ei fod o'n hapus.

Eto, wrth i'r Hen Ŵr gerdded tuag ato'n ara deg mae'n symud oddi wrtho yn hamddenol. Mae'r Hen Ŵr yn meddwl faint fedr tarw weld heb lawer o olau ac yn cofio wedyn na fedr yntau weld llawer heb dortsh. Damia.

Mae'r lôn fach am y tŷ yn hir ac yn igam-ogam. Mae

hi'n ffordd a dorrwyd i geffylau, yn gorfod cadw ambell dro ynddi a pheidio bod yn rhy serth. Cofia'r Hen Ŵr o'i blentyndod pan fyddai'n dod i lawr y ffordd hon ar gefn llwyth gwair fod yna sawl adwy y gellid eu defnyddio. Mae un ar dro lle y bu iddo ddisgyn o ben y llwyth unwaith. Ond gan fod y tarw ar y blaen mae hi'n anodd cyrraedd yr un honno cyn iddo fynd heibio, ac anos fyddai dwyn perswâd arno i fynd yn ei ôl.

Ond o dorri ar draws cae, gallai gael y blaen arno.

Wrth i'r ffordd droi i'r dde aiff yr Hen Ŵr yn ei flaen a dringo giât. Mae'r cae yn gorslyd ac yn beryglus i ddyn yn ei oed a'i amser sydd ar frys mewn tywyllwch. Brys i wneud gwaith y dylai rhywun arall ei wneud mewn difri calon.

Wedi cyrraedd gwaelod y lôn a gadael giât yn agored gall weld golau cegin y cymydog drwy'r coed. Cychwynna yn ôl i gyfeiriad y tarw ond mae wedi colli golwg arno. Mae'n arafu, yna'n aros yn stond wrth i'r be feddylia ydi'r clawdd o'i flaen droi tuag ato a chwythu. O'i flaen y mae ffurf llawn fwy solat na'r cloddiau gyferbyn yn ymddangos.

Saif y tarw a'i ben i fyny a gŵyr yr Hen Ŵr ym mêr ei esgyrn ei fod o ar y ffordd. Yn y dychryn hwn mae o'n sylweddoli pa mor wirion oedd o yn rhedeg ar ôl anifail nad ydi o'n ei adnabod yn y tywyllwch heb bwt o dortsh ac yntau mewn oed. Cafodd ei daid ei ladd bron gan fuwch – ei wasgu yn erbyn wal beudy fel peth dal past dannedd nes o'r braidd y bu iddo oroesi. Byddai lladd yr Hen Ŵr mor hawdd i'r tarw fel na fyddai'n sylwi ar y peth bron. Byddai fel rhywun yn sgubo heibio gwydr ar gownter ar frys a'i glywed yn disgyn yn deilchion y tu ôl iddyn nhw.

Ond cerdded wna'r tarw a brefu'n isel. Wrth i'r Hen Ŵr ddadebru a siarad ag o wrth fynd am yr adwy y mae'n edrych bron fel ei fod yn arwain y talpyn hwn o gyhyrau fel ci bach. Saif yr Hen Ŵr y tu ôl i'r giât ac mae'r tarw yn deall y drefn. Yr un drefn sy'n ei gadw y tu ôl i ffens fel arfer; syniad neu awgrym yw ffens nid rhwystr go iawn i anifail fel hwn.

Wrth basio mae'r tarw yn oedi. Sylla un llygad ddu, wleb ar yr Hen Ŵr a sylla yntau'n ôl. Yna wedi ennyd mae'r tarw'n mynd i'r cae.

Aiff yr Hen Ŵr i dŷ'r cymydog i sôn am yr hyn a ddigwyddodd. Llwydda'r ddau i droi digwyddiad a allai fod wedi bod yn angheuol yn destun sbort yn nhraddodiad anrhydeddus ffermwyr o bob oes.

Diolcha'r cymydog a chynnig paned cyn meddwl tybed pam fod y tarw wedi dianc.

Roedd o wedi ei wahanu oddi wrth y gwartheg am sbel. Mae'n rhaid felly, dyweda, fod yr hen gr'adur yn unig ar ei ben ei hun.

Oeda.

Gwrthoda'r Hen Ŵr y baned, rhaid iddo'i throi hi fwyaf sydyn.

Mae gwaith rhoi trefn ar yr hen le. Gwaith agor ffenestri i adael oglau tywydd braf i mewn a hel llwch. Daeth y gath â blew pob cath arall o fewn deng milltir i'r tŷ gyda hi ers iddi ddechrau dod yn ymwelydd cyson ac mae'r plantos wedi arfer gyda llefydd glanach.

Oeda'r Hen Ŵr wrth y biano ac ar ôl rhedeg y darn o gyrtan sy'n gwneud y tro fel cadach dros y caead mae'n ei agor. Rhytha'r dannedd duon a'r rhai sydd heb cweit fod yn wyn arno. Mi ddylid ei thiwnio. Tara nodyn a'i hymian yn ôl wrth i'r E# gwyrgam drybowndian o gwmpas y stafell. Aiff i feddwl am godi canu. Tynna'i fys yn ôl. Mae ei groen o'n rhy arw i'r allweddell, tydi o ddim am ei difetha.

Er, mi fu'n dysgu unwaith. A rhoi tro arni wedyn yn fuan wedi cael y peth a'i lusgo fo i'r tŷ, yr Hen Ŵr ar un pen a Hithau ar y pen arall. Newydd briodi, fwy na heb. Bustachu ar ddiwrnod poeth ar hyd y cowt at y drws ffrynt, hambygio braidd ond yn cael hwyl wrth wneud. Hithau'n tynnu arno y byddai'n gynt iddi wneud ei hun. Yna'r tro i gael yr horwth o'r pasej rhwng y drws ffrynt a drws y stafell hon yn dynn ar y diawl a'r biano'n taro ffrâm y drws. Mi oedd marc y paent ar ei chefn o hyd mwya'r tebyg.

Dim panad na phum munud na dim ar ôl gorffen ond yn syth ati. Hi'n mynd yn ôl am y drol i estyn y stôl ddaeth efo'r biano tra bod yr Hen Ŵr wrthi'n rhoi tameidiau bach o bren o dan y rolars i'w chael yn wastad.

Dyma Hi'n dod i mewn i'r tŷ eto ar wib yn dal y stôl a'i hwyneb yn goch ac ambell gudyn o'i gwallt yn glynu iddo. Gosod y stôl, sgubo'r cudynnau o'r neilltu a bwrw iddi. Llenwi'r ystafell hefo nodau i ddechrau arni, yna'r tŷ, yna'r ardd a'r caeau a'r byd hyd y gwyddai'r Hen Ŵr. Wrth sefyll yno'n gwrando arni anghofia am ei gorff ei hun ac mae'n amau ei bod hithau'n gwneud hefyd wrth i'w bysedd wibio'n ôl a blaen. Yna, mae Hi'n rhoi stop arni'n ddramatig ac yn clapio'n hapus. Clapia'r Hen Ŵr hefyd a gweiddi Bravo am iddo glywed rhywun ar y werles yn gwneud unwaith.

Chdi nesa

medda Hi wrth symud at ochr y stôl.

Ty'd yma.

Mae'r Hen Ŵr yn swil fwya sydyn ond mae'n gwneud. Y ddau yn glòs, wedi gwasgu at ei gilydd ar y stôl a'u breichiau'n cyffwrdd wrth iddo sbeuna tôn fesul nodyn fel gylfinir yn pigo mewn cors a hithau'n chwarae o'i gwmpas o ac yn chwerthin. Ei hoglau a'i gwres hi yn felys fel y nodau.

Chafodd Hi 'rioed ddisgybl salach nag o.

Mentra daro nodyn arall.

Daeth plant y greadigaeth drwy'r drws i gael eu dysgu ganddi. Rhywbeth gyda'r nos oedd y gwersi. Gallai hi fod wedi mynd yn athrawes mewn ysgol, ond mi briododd a chrebachodd stafell ddosbarth i faint stôl mewn tŷ oedd wastad hefo rhywbeth i'w wneud ynddo. Go brin fod hynny'n deg. Roedd pob un o'r plant yn falch o'i gweld Hi ond rhyw fymryn yn fwy swil o'i gwmpas o a hynny mae'n debyg am ei fod o'n un drwg am dynnu arnyn nhw. Aeth amryw un ymlaen i ennill mewn steddfodau a hynny'n plesio'n well na dim arall bron Ganddi. Un o'r disgyblion hynny ganodd yr organ yn ei ch'nebrwng Hi erbyn meddwl a gwneud joban debol iawn, yn enwedig o Ellers fel y byddai Hi wedi lecio.

Chafodd Hi 'rioed y cyfla i ddysgu'r wyrion a wyresau ond pan ddôn nhw heibio Taid maen nhw'n lecio rhoi tro ar y biano. Un yn dobio'n wyllt dim ond i wneud sŵn ond mae un o'r lleill wedi bod yn dysgu. Yr un ydi'r caneuon rownd y rîl – 'Mary Had a Little Lamb' a 'The Entertainer' ond mi gaiff eu canu nhw faint fynno hi. Meistr pob gwaith yw ymarfer fel y byddai ei Nain wedi'i ddweud.

Mae'r Hen Ŵr yn codi ar ei eistedd ac yn gweld heb boeni o gwbl fod ei wely ynghanol cae a bod y gwynt yn gwneud i'r gwellt hir sy'n llyfu gwaelod y fatres droi a throi a chreu patrymau fel y môr. Yn eistedd ar gadair sydd ymhell ond eto'n agos yr un pryd mae'r Llwynog. Yr un ydi'r Llwynog wedi bod erioed. Mae ganddo dwll ar ei frest lle mae'r sêr a'r lleuad a cherrig a chanrifoedd bwygilydd yn troi. Gwthia'r Hen Ŵr y dillad oddi arno a throi cyn gosod ei droed ar y gwellt claear. Bellach dŵr llonydd ydi o a'i gamau o'n creu crychau ar wyneb glaswyrdd sy'n ymestyn am y gwêl o. Cerdda'r Llwynog o'i flaen, cyn troi i edrych ar yr Hen Ŵr a'i phlannu hi am y gorwel.

Meddylia'r Hen Ŵr y dylai ei ddilyn.

Yna, wrth edrych arno'n mynd ymhellach mae'r Hen Ŵr yn deall pob dim. Popeth yn disgyn i'w le.

Deffra ar ei draed, a dŵr yn troi'n styllod pren. Teimla'r Hen Ŵr iddo anghofio rhywbeth.

✳

Braidd yn denau ydi'r gwair ond dydi hynny ddim yn syndod efo'r sychdwr. Dim posib dal pen rheswm efo'r tywydd 'di mynd.

Bu'n gae da erioed. Cae Blodau Gwynt oedd yr enw arno fo ganddo'n blentyn. A'r Hen Ŵr oedd y cyntaf i'w drin adeg y Rhyfel.

Chodwyd yr un dorchan yno cyn hynny a chroen y cae yn hen un go iawn. Yna daeth y gwŷd ac o dipyn i beth mi aeth y blodau i gyd. Weithiau mae'r Hen Ŵr yn meddwl y byddai'n well pe byddai pob dim wedi cael llonydd.

Pryd welodd o gornchwiglen ddwythaf? Neu flodyn gwynt? I le aeth y sioncod gwair i gyd a'r gloÿnnod byw?

Go brin bod yna le iddyn nhw, hyd yn oed yn y caeau mawrion newydd.

*

Wrth sbeuna mewn drôr caiff bys yr Hen Ŵr ei ddal gan groglath. Tynna'i law o'i pherfedd a gafael yn un pen o'r weiren denau a thynnu nes bod y cwlwm yn cau ar ei groen ac o lacio'r metal yn ei adael yn wyn. Meddylia sawl anifail a dagodd ym môn clawdd ar yr edefyn gloyw hwn.

Daw'r gair

creulondeb

ato rhwng y rhwd a'r golau sy'n sgleinio ar ddolen.

Cafodd yr Hen Ŵr ddigon ohono, y mae'n hen gynefin ag o. Teimlodd ei effaith sawl gwaith a bu'n greulon ei hun. Y creulondeb hwnnw sy'n ymwisgo fel arferiad neu esgus – creulondeb y mae pob bod dynol yn ymdrybaeddu ynddo o dro i dro.

Yn ifanc roedd gweld rhywun yn cael crasfa yn sbort, a rhyw hwyl mewn llosgi cyhyrau a migyrnau a gwaed. Rhoddodd sawl nythaid o gathod bach mewn sach a rhoi'r sach yn yr hocsiad ddŵr. Yna gwagio'r sypiau gwlyb, meddal ac oer yn nhin y clawdd. Doedd dim ots ganddo ddefnyddio peipen blastig ar gefn buwch a gweiddi ar gŵn chwaith.

Does ganddo ddim cyfiawnhad a hynny am yr un rheswm nad oes cyfiawnhad dros wynt neu oerni neu goed yn disgyn. Fel'na oedd hi, dyna i gyd.

Bellach caiff wybod gan rai o'r plantos fod nifer fawr o'r pethau mae o'n eu gwneud yn greulon. Y magu, y torri cynffonnau wŷn bach, y lladd angenrheidiol. Caiff wybod hynny er bod mynd ar lefrith poeth yno a'i fod yn ei waith yn ffrio sosejys pan ddôn nhw draw. Hoffai ddweud nad ydi bod yn bellach oddi wrth y weithred yn ei gwneud hi'n llai creulon ond mae o'n rhy brysur yn tendio'r badell.

Diolch byth nad ydi'r plantos yn gwybod am bob dim.

Churodd o 'rioed ei wraig. Ond bu'n greulon wrth beidio – wrth beidio dweud, wrth beidio teimlo a pheidio gadael Iddi deimlo. Wrth fynnu mai fo oedd wedi gweld y ffordd orau at yr adwy.

Fel'na oedd hi, fel'na mae hi. Mae'r gwynt yn chwipio a'r oerni yn brathu. Gall gysgu o gofio hynny os nad ydi o hefyd yn cofio bod modd lapio rhywun yn gynnes a'u cysgodi nhw rhag awel fain.

*

Rhywun y gwyddai amdani yn yr adran farwolaethau yn y papur eto. Estynna'r Hen Ŵr y siswrn mawr o'r drôr a'i thorri allan yn ofalus. Mi ffitiodd ei bywyd yn daclus i hanner can gair neu lai yn y diwedd.

Does gan yr Hen Ŵr ddim amser i farw. Pan ddaw Angau heibio i'w fedi tybia'r Hen Ŵr y bydd yn gofyn am bum munud, nid er mwyn ei hun ond i roi trefn ar bethau'n o lew cyn mynd. Gobeithia y bydd yr un sydd yn dal y bladur yn gallu deall cais o'r fath.

A be ddaw wedyn? Does yna neb i gymryd y lle. Gwerthu felly a thynnu llinell o dan bob dim. Cau'r llyfrau. Troi'r goriad am y tro olaf. Y tir efallai'n cael ei lyncu gan un o'r ffermydd mawrion a dod yn gongl arall i'w thrin a'i throi yr un fath â'r cannoedd o aceri sydd wedi eu hel yn barod. Rhywun yn prynu'r lle o ran egwyddor a rhag i rhywun arall ei gael o. Neu gwerthu'r tŷ ac ychydig o'r tir hefo'i gilydd. A dim ond rhyw griw o wenoliaid mynd-a-dŵad yn gallu talu amdano. Cae chwarae. Sleid o ben Cae Tŷ Gwair i lawr at Cae Crwn a swings yn Cae Ffynnon i'r diawl.

Efallai fod yr Hogyn yn iawn pan ddwedodd o na fyddai'n waeth i'r Hen Ŵr werthu'r lle tra medrai o ddim a chael iws o'r pres ei hun. Prynu rhyw le bach go gynnar yn y pentra hefo gardd dwt a lle i dyfu rynar bîns a 'chydig o datws. Gallu cerdded i siop, picio i dafarn a gweld yr hwn a'r llall. Codi sgwrs.

Na. Waeth iddo iwsio'r pres i brynu rhaw a mynd am y fynwant ddim.

Doedd ganddo mo'r hawl i werthu beth bynnag.

Fydda'r peth ddim yn iawn.

Yma tra bydda fo. Dyna oedd y dewis nad oedd yn ddewis o gwbl. Mi roddwyd cwlwm yn y rhaff a'r aerwy yn sownd ers cantoedd. Dalier ati. Dan y diwedd, does wybod, efallai y bydd yr hoe yn braf.

Swae bach o gwmpas yr ardd a hithau'n bnawn braf. Does yna fawr o le i bethau hardd yma. Neu harddwch telifision beth bynnag. Bu yma unwaith ac mae'r gwellt yn cael ei dorri o hyd o dan y coed fala gwyrgam rhag i rywun ei weld.

Arhosa'r coed rhosod ond eu bod nhw wedi hagru, y coesau wedi caledu a'r blodau'n llai. Aeth y pethau hynny a oedd yn fawr i un yn bethau bach i'r llall, dyma'r drefn.

Ond er nad ydi o'n tendio'r rhosod – yn sefyll mewn brat yng ngiât y lôn wrth i geffylau fynd heibio gyda shelffeiar a bwced – mae'r Hen Ŵr yn dal ati gydag un ddefod: y pys pêr.

O'r catalogau llysiau sy'n dod drwy'r post fel wenoliaid hefo'r gwanwyn ynghyd â'r hadau moron, rwdins a phethau eraill i'w berwi pryna becyn o bys pêr.

'OLD FASHIONED.'

Yr un math, bob blwyddyn.

Tic yn y bocs ac yna aros am yr amlen. Rhaid aros wedyn am y tywydd iawn. Yna, ac yntau'n sicr na ddaw yna ormod o rew, chwilio am docyn twrch, a hel y pridd mannaf i botyn.

Gan fod pys pêr i'w feddwl o fel pys byta y mae'n agor y paced

'OLD FASHIONED.'

ac yn socian yr hadau ar soser, yna'u plannu a'u gadael ar silff ffenest y gegin. Eu rhoi ymhen wythnosau mewn congl ddistaw o'r ardd wrth ddarn o weiran mochyn.

Nid y lliw ydi'r peth ond yr oglau. Dyma oglau a fyddai yn y parlwr bach, yn codi o fwrdd gyda chylch o lês arno ac oglau y babell flodau yn y Sioe. Honno y byddai'r ddau yn mynd iddi wedi iddo gael bore i grwydro drwy'r stoc. Mynd dow dow – heb siarad rhyw lawer – a dim ond gwres, a bodlonrwydd llond bol o frechdanau a ddaeth o sgwâr o bapur gloyw, ac oglau. Oglau Pys Pêr.

Aiff â siswrn a thorri gwerth llond dwrn; erbyn iddo gyrraedd y tŷ mae'r coesau'n chwysu ar ei groen. Estynna fâs oddi ar y ddresal. Gall cwpan ddal dŵr, gallai roi blodau mewn potel neu wydryn ond does yna'r un cynhwysydd arall i'r rhain. Fâs wydr bob lliw. Mae yna well oglau yn dod ohonyn nhw o honno.

Gosoda hi ar gylch o lês. Aiff at gadair; gallai roi'r werles i fynd neu beidio – ond aros mae o – aros i'r oglau gerdded ei ffordd ato mewn ffrog haf a sgidiau gorau, aros i gael ei lenwi unwaith eto.

'OLD FASHONED.'

Daw haul lond y stafell.

'OLD FASHIONED'

Mae hi'n fore eto a'r Hen Ŵr yn effro ac yn pwyso ar giât. Gadawyd y cloc i dician yn y stafell wely glaear, agorwyd i'r ieir eisoes, aethpwyd o gwmpas y defaid. Heibio'r garreg ateb ble mae rhyw fonyn clawdd sydd wedi hen adfeilio mae niwl yn chwarae. Does yna'r un cysgod i'w weld chwaith mae'n debyg. Teimla'r Hen Ŵr fod rhywbeth yn gyfarwydd am yr holl beth ac eto wŷr o ddim be chwaith.

Yn sydyn meddylia fod blwyddyn wedi mynd yn handi ar y diawl – rhyw lond llaw o bethau a dyna ni. Eto, roedd rhai o'r pethau hynny'n rhai go fawr. Oeda. Ddaeth o fyth o hyd i'r corff. Ta waeth am hynny.

Ceisia ddal yr olygfa o'r hyn sydd o'i gwmpas a phob dim o bwys hefo'i gilydd y tu mewn iddo. Ceisia wneud rhyw lun o hyn i gyd, rhywbeth i'w gadw a'i gofio. Ceisia roi siâp i'r holl beth. Mae'n llwyddo, am eiliad, cyn i bethau fynd ar chwâl eto. Ond am eiliad roedd popeth yn ei le.

Sytha. Aiff am y tŷ.

*

Caiff yr Hen Ŵr ei dynnu at y Mynydd. O'i flaen mae cysgodion y Llwynog a phobl sydd wedi marw yn ei hudo. Er nad ydi'n amser mae rhithiau mwyar duon a falau surion yn y cloddiau a sŵn ŵyn a defaid cadw am yn ail yn y caeau.

Tydi'r Mynydd yn fawr o beth i gyd – agennau craig, tociau grug a llwybr ond mae o'n llawn uwch nag unrhyw beth arall. Bu ffasiwn o gerdded i'w gopa gyda'r ysgol a heddiw a hithau heb lawn wawrio mae cysgodion y plant, ei ffrindiau, o'i gwmpas o.

Yr hen griw i gyd, tawn i'n mego.

Maen nhw'n rhedeg am yn ail – y cyntaf at y garreg a'r garreg neu'r postyn nesaf ac yn chwerthin. Sylwa'r Hen Ŵr nad aeth y rhai sydd wedi mynd 'rioed go iawn, dim ond mynd i chwarae ar y Mynydd ac i wylio ymysg y cerrig. I gadw cow ar hen bethau fel fo sydd wedi bod yn pydru'n mlaen. Ynddyn nhw er mai cysgodion ydi pob un mae golau'r hafau hynny mewn caeau melyn a gynaeafwyd i gyfeiliant tynnu coes.

Mae rhai o'r plant o'i gwmpas yn fyw o hyd ac yn

hen ond mae'r ffurfiau hyn yn eu gweddu lawn gwell. Wnaeth neb newid go iawn. Dim ond magu rhisgl blynyddoedd fel yntau.

Mae'n dda eu gweld nhw eto fel hyn.

Aiff yn uwch.

Mae yna olion wal yma ond ei bod yn fwy nag unrhyw wal fel arall. Dywedodd rhyw hogyn wrtho ryw dro mai wal allanol y trigolion oedd yn byw yma filoedd o flynyddoedd yn ôl oedd hi. Y tu mewn iddi roedd criw o bobl a'r tu draw roedd byd llawn fwy diarth nag ydi o bellach. Hon oedd eu clawdd terfyn, eu ffin nhw.

Aiff i mewn.

Tydi'r copa ddim yn bell. Mae yno lecyn i eistedd gyda phicnic, brechdanau jam, crempogau mewn papur llwyd a the o fflasg ac arni batrwm tartan neu frechdanau sbam wedi eu torri ar frys neu botel slei o Guinness wedi ei dwyn o gwpwrdd a chalon yn curo'n drwm yn y glust.

Yno hefyd gellir gweld.

Dyma fo, ar y copa a'r gwynt yn erydu'r creigiau fesul

'chydig. Gall weld y tir i gyd, yn dywyll yn erbyn môr du a'r gorwel fel weiran bigog yn magu golau fesul eiliad.

Mi ddaw yr haul iddo gael gweld yn iawn.

Dacw fo tua'r gorllewin yn bochio'i ffordd drwy'r tarth. Munud neu ddau eto.

Dyna ni.

Bellach gall weld pob dim, neu'n sicr pob dim o werth. Saif ar fynydd lle mae pobl wedi bod yn sefyll ers milenia a gweld yr hyn a welson nhw, yr hyn a wêl o a'r hyn y bydd pobl yn ei weld ymhen blynyddoedd eto.

Lle.

Lle sy'n fôr gwyllt bob ochr ac yn bod.

I lawr – rhwng y lonydd bach a'u cloddiau uchel, ymysg coed a phentrefi, ysgolion ac arosfeydd bysys mae'n gweld ei le fo. Tyddyn a chasgliad o aceri. Teimla ryw ysfa, rhyw bwys mawr i adrodd. Adrodd enwau'r caeau, eu dweud nhw iddyn nhw blethu i'r gwynt a setlo ymysg gwraidd yr eithin.

Nant.

Bryn.

Cae Lel.

Cae Dan Lôn.

Cae Ffynnon.

Cae Crwn.

Cae Dan Rar.

Cae Tŷ Gwair.

Dryll Hir.

Dryll Bach.

Er mwyn eu cofio nhw. Er mwyn i chi gael eu cofio
nhw. Ac er ein mwyn Ninnau. Mae'r enwau yn
drybowndian ohono ac yn setlo o'i gwmpas fel hen
gyfeillion.

Y tu ôl iddo mae ysbrydion y bobl hynny oedd yn
byw mewn cytiau crynion, y rheiny a osododd gerrig.
Wrth ei ochr mae'r rheiny oedd ac sy'n parhau i fod

hefo fo, o'i flaen mae'r tir – ei dir o. Tir fydd yn dal ei olion ymhell wedi i'w enw a'r enwau mae o'n eu cadw ynddo fynd yn ddim.

Nant. Bryn. Cae Lel. Cae Dan Lôn. Cae Ffynnon. Cae Crwn. Cae Dan Rar. Cae Tŷ Gwair. Dryll Hir. Dryll Bach.

Does sŵn dim o'i gwmpas o, dim ond sŵn y lle. Cyn yr adar, cyn canu dyna oedd y cyfeiliant – gwynt a dŵr a sŵn y creigiau, a'r pridd.

Eto mae o'n eu clywed nhw, clywed yr enwau ar lais ei dad a'i fam, ei daid a'i nain, ei blant a phlant y mynydd hwn sydd wedi gadael eu harfau cerrig iddo rhwng cwysi newydd fel ei fod o'n cael gwybod fod parhad. Fod cofio yn beth i gerrig ond i bobl hefyd.

Yn y tyddyn pell mae'n teimlo'i hun mewn gwely yn aros i'r cloc ganu flwyddyn yn ôl, yn gweld babi bach yng nghôl ei fam a gweld ei blant yn crio a chlirio a gosod ei fywyd mewn bocsys.

Daw'r Llwynog i sefyll wrth geg y llwybr yng nghysgod carreg ateb.

Yng ngolau letrig ffeiar y wawr mae'r Hen Ŵr yn sefyll, ac yn gweld.

Atebwyd.

Gwrandawyd.

Adroddwyd.